SANDRA STRAUSS

ENGENHARIA DA ALMA

TRANSFORMANDO MEDOS EM POTÊNCIAS

2023

Engenharia da alma

1ª edição: Março 2023

Autora:
Sandra Strauss

Organização:
Carlos Raniery Barbosa Silva

Revisão:
Gabriela Coiradas
3GB Consulting

Projeto gráfico:
Thiago B. Valoni

Capa:
Jéssica Wendy

DADOS INTERNACIONAIS DE CATALOGAÇÃO NA PUBLICAÇÃO (CIP)

Strauss, Sandra
Engenharia da alma : transformando medos em potências / Sandra Strauss. — Porto Alegre : Citadel, 2023.
128 p.

ISBN: 978-65-5047-224-5

1. Desenvolvimento pessoal 2. Autoconhecimento 3. Sucesso
I. Título

23-0924 CDD - 158.1

Angélica Ilacqua - Bibliotecária - CRB-8/7057

Produção editorial e distribuição:

contato@citadel.com.br
www.citadel.com.br

Sumário

Bem-vinda(o) ao meu mundo!

Este livro é mais um sonho realizado!

Tudo começa com um sonho e se materializa com a disciplina!

Meu mundo tem uma base sólida construída por uma história de superação de medos através da ousadia amorosa, da coragem que brota na alma e me sintoniza na frequência do meu propósito original que é transformar vidas!

Desejo que você, a partir do encontro com essa leitura, não tenha medo da vida, não tenha medo de vivê-la! Não há mar sem ondas como não há céus sem tempestades.

Cada dia você recebe a bênção de uma nova oportunidade; que possa reconstruir sua realidade a partir da sua potência!

Obrigada por estar comigo nessa jornada de evolução!

Podemos interagir pelas redes sociais:

@sandrastrauss
@escolaengenhariadaalma
@vibes.casa

Este livro é dedicado a você!

Prefácio

A gente esquece o que sabe. Esquecer e lembrar é o jogo do saber.

Quando a gente começa a conhecer um novo território, uma pessoa, um livro, a gente começa a esquecer algumas coisas, a saber de outras; e a lembrar do que sabia.

Tudo isso parece um jogo de palavras e é.

Mas nesse jogo tem algo real que eu quero dizer, que faz parte da minha experiência em relação ao autoconhecimento: a evolução, a sabedoria, o amadurecimento, como quiserem chamar, não é linear, a gente avança e recua, talvez se dê em espiral porque temos muitas resistências, bloqueios e medos.

Árduo trabalho o de nos tornarmos sujeitos de nossa própria história em tensão com os desígnios divinos, dentro do turbilhão da vida social, econômica e cultural da nossa sociedade. Haja ânimo, confiança! Haja referência, estudo, paciência para entrar e sair das roubadas, e penetrar nos campos vibracionais das potências reais do nosso ser.

Este livro é um convite para avançarmos.

Bom mergulho! As águas que circulam entre o céu e a terra estão fluindo.

– Clarice Niskier

Capítulo 1

Prazer em reconhecê-lo!

Para alcançar a paz de espírito e a liberdade, mesmo que temporariamente, devemos reconhecer nossa resistência

Devemos reconhecer que, embora tenhamos uma mentalidade dentro de nós que deseja o próprio bem e deseja estar em paz, também temos uma mente sabotadora, forte e resistente que diz: "Ser livre para quê?".

"Mantenha-se na sua zona de conforto!"; "Controle a situação!"

Talvez a mente não se expresse de forma tão clara assim, por isso a melhor e mais profunda forma de praticar a liberação da resistência é ver claramente como não queremos deixá-la ir.

Quando aceitamos que somos viciados em medos, podemos nos libertar de qualquer coisa que ocorreu no passado e dos medos novos e recorrentes dos quais continuaremos a desviar em nossos caminhos.

Uma boa escolha é começar perdoando-se por não fazer as coisas perfeitamente, e perdoe-se toda vez que se perceber apegado a repetitivos e velhos padrões.

Honrar esse lado sombrio de nós mesmos é o caminho para curar nossa resistência. No meu caso, o momento em que aceitei meu medo foi o momento em que meu pânico se acalmou.

Ao abraçar meu medo, um caminho ainda maior para a liberdade abriu-se para mim.

Hoje pauso sempre que preciso me realinhar com a minha potência e faço por meio minuto meu exercício – um mantra de poder, repito por algumas vezes determinada frase, uma afirmação –, e assim realmente sinto a energia amorosa do Universo, o tal do "*fluxo*", disponível e acessível a todo instante.

Você receberá o seu próprio mantra, sua afirmação, durante a leitura deste livro. Será seu eterno aliado para acalmar sua mente dos medos e das inseguranças que você mesmo cria.

Quero compartilhar uma vivência muito íntima da qual participei.

Sou uma pessoa que continua incansavelmente se aprimorando espiritualmente, porque esse é o meu trabalho e é a minha missão.

Estou sempre buscando retiros e workshops sobre o assunto, mas a verdade é que tudo isso me move, e amo descobrir novas formas de Ser e Estar.

Após uma meditação guiada de movimentos corporais intensos, o grupo parou e começou a escrever o que estava sentindo.

Eu não lembrava que tinha participado dessa experiência, por serem tantas, e olha que lembrança transformadora encontrei no meu caderninho de anotações sobre aquele momento:

"Sinto uma integração

O peito sinto mais leve

Uma preguiça a nível celular muito resistente

Uma vontade de querer essa preguiça e outra

de soltar."

"Tristeza

Peso na nuca

Costas quentes

O que precisa ser feito é soltar

Querer terminar

A soltura é a onda mais incrível de estar

A tristeza me conecta com minha intimidade

A tristeza não tem a ver com a dor

Preciso virar o meu colchão ao contrário."

Reencontrar esse material foi mais interessante do que o *workshop* em si.

Libertador! Libertador a ponto de querer ajudar você!

Ajudá-lo a libertar-se de padrões que não colaboram para o seu crescimento!

E desse gênesis nasce este manuscrito!

Você também pode encontrar sua liberdade!

E estarei aqui para isso!

Ao exercitar as práticas e meditações de cura deste livro, o que mais lhe servirá é olhar seu medo com amor e decidir que não é mais um sistema de pensamento que você deseja. Tomar essa decisão abrirá o caminho para a felicidade. Liberar seu antigo sistema de pensamento e acolher um novo exige prática, mas é muito menos "trabalhoso" do que você imagina.

A prática que servirá ao seu bem maior é a de render-se ao amor e ao "*fluxo*" perfeito do Universo.

"Não devemos buscar incessantemente o significado do amor, mas sim remover todas as barreiras de impedimento."

Cada capítulo deste livro oferece afirmações simples e exercícios que o ajudarão a alterar seus pensamentos medrosos e transformá-los em potências.

Lembre-se do que mais deseja: ser livre do medo, para que você possa expressar sua essência e viver seu potencial!

Quanto mais você se lembrar do que deseja, mais abraçará sua capacidade de receber. É importante não pensar demais em cada prática. Apenas faça.

Você pode encontrar uma ou duas práticas que realmente ressoam em você e optar por repeti-las com mais frequência.

O caminho ficará claro, e você traçará seu percurso.

A prática de estar em um caminho espiritual não é ser o melhor meditador, ou a pessoa mais gentil possível, ou a mais esclarecida.

A prática é render-se ao "*fluxo*" o mais rápido possível.

Esse é o objetivo deste livro.

Você pode praticar todos os exercícios sugeridos, ou pode apaixonar-se por alguns em particular.

Não há maneira certa ou errada de fazê-los. Apenas fique aberto e repita os exercícios que o inspiram.

Se você aplicar apenas uma lição, prática ou meditação deste livro diariamente, experimentará uma conexão mais profunda com esse *"fluxo"*, que resultará em mudanças milagrosas.

Portanto, mantenha a simplicidade e a calma.

Para isso, peço hoje que abrace sua resistência, perdoe a si mesmo e renda-se à orientação que está diante de você.

Comece cada capítulo com a mente aberta e você receberá o que precisa. Tudo o que é necessário é a sua vontade de liberar o que o impede de viver em harmonia, conectado à energia do amor e ao seu potencial.

Ao virar cada página, lembre-se de permanecer aberto a novas ideias; seja paciente e confie que o Universo o alcança e está ao seu alcance!

Pedro, aos 51 anos, entrou em depressão.

"Na época, eu não sabia por que estava deprimido, mas meus sentimentos de medo, ansiedade e tristeza eram inegáveis. Minha depressão foi sorrateira; apareceu do nada e aparentemente sem razão.

Incapaz de me livrar sozinho desse problema, virei-me para Sandra em busca de orientação.

Ela compartilhou comigo a ferramenta em que acreditava: meditação prática. Eu nunca tinha meditado, achava que era coisa de *hippie*. Ela me sentou em uma almofada de meditação e disse: 'Esta é a saída'. Após conversarmos, Sandra conduziu-me a receber o meu mantra de poder pessoal:

– Como você se chama?

– Pedro.

– Como você chama por você?

– Pedro!!

'Escuta, Pedro, você realmente é digno de paz e de êxito!'

Repita essa afirmação dez vezes para você mesmo: 'Escuta, Pedro, eu realmente sou digno de paz e de êxito!'.

Sandra explicou-me que esse mantra de poder é pessoal, cada um tem o seu.

Também me explicou sobre o poder das duas primeiras letras do meu nome, e chegamos nas palavras **paz** e **êxito** a partir daí!

Sugeriu que eu sentasse em meditação por quatro minutos por dia para sentir alívio da depressão.

Eu estava tão preso na tristeza que teria feito qualquer coisa que ela dissesse, então comecei minha prática de meditação.

Para minha surpresa, senti instantaneamente uma sensação de alívio. Essa gratificação imediata me fez voltar à minha almofada de meditação para mais.

Após duas semanas de prática, fiz uma viagem de fim de semana para uma casa de praia com minha namorada.

No momento em que chegamos, os velhos sentimentos de depressão e medo começaram a tomar conta de mim. Virei-me para a minha namorada e disse: 'Sinto muito, mas preciso de um tempo para meditar'.

Então, fui para um quarto de hóspedes de uma casa em que nunca tinha estado antes.

Sentei-me, no escuro, na cama bem-arrumada, e comecei meu mantra de poder: 'Escuta, Pedro, você realmente é digno de paz e de êxito!'.

Repeti minha afirmação, apropriando-me dela, por dez vezes: 'Escuta, Pedro, eu realmente sou digno de paz e de êxito!'.

Um minuto depois de respirar e recitar o mantra de poder, algo milagroso aconteceu. Do nada, senti um cobertor quente de energia amorosa envolvendo-me. Minhas extremidades começaram a formigar, e minha ansiedade e tristeza profunda diminuíram. Foi a maior paz que já experimentei.

Eu estava em sintonia com uma presença muito maior do que qualquer coisa que já conheci. Reencontrei o meu poder, a minha potência que estava oculta. Lembro-me dessa experiência como se fosse ontem.

Nesse momento percebi que tinha o poder de conectar-me a uma força amorosa de energia muito além da minha mente lógica e da minha visão física.

Foi a primeira vez na vida que me senti entregue e verdadeiramente seguro. Saí do quarto de hóspedes para ver minha namorada, que me esperava preocupada no jardim da casa.

Minha energia era mais leve, e meu espírito, rejuvenescido.

Ela olhou para mim e disse: 'O que aconteceu com você? Você parece tão claro'. Respondi: 'Meditação'.

Fui impecável com minha prática de meditação por vários meses. Mas, quando me senti melhor, comecei a relaxar.

Comecei a apegar-me à segurança, ao poder e à excitação dos sucessos externos e das formas mundanas de felicidade.

Voltei-me fervorosamente para a minha carreira, em busca de uma sensação de realização e satisfação.

Por meio de uma série de decisões mal-intencionadas de buscar minha segurança fora de mim, caí de novo num poço escuro.

Eu me vi novamente em profunda depressão, mas dessa vez foi amplificada pelo vício em álcool e pela vergonha. Então, certa manhã, sentado no chão do meu apartamento, comecei a recitar o tal mantra:

'Escuta, Pedro, você realmente é digno de paz e de êxito!'

'Escuta, Pedro, eu realmente sou digno de paz e de êxito!'

Como se não tivesse passado o tempo, fui instantaneamente reunido com esse sentimento de amor.

Era como se uma força, sei lá, anjos me levantassem do chão para me ajudar a entrar em uma nova maneira de viver muito além do medo que eu tinha escolhido.

Mais uma vez, encontrei minha saída.

Fiz um compromisso naquele dia – o de nunca virar as costas à verdadeira fonte de amor. Minha potência conectada, plugada no '*fluxo*'.

Na última década, estive em uma jornada espiritual de fortalecimento do meu relacionamento com esse amor."

Obrigada, Pedro, pelo seu relato! Você está ajudando inúmeras pessoas com o seu depoimento!

Esse amor a que Pedro se refere é conhecido por muitos como D'us, natureza, Universo, verdade, consciência.

Chame, nomeie, como quiser, como fizer sentido para você.

Ao longo deste livro, usarei essas palavras para referir-me à inteligência suprema que sincroniza absolutamente tudo em plena perfeição.

Meu relacionamento com essa energia é a coisa mais importante da minha vida. Sem ela, perco meu poder, meu propósito e minha conexão comigo mesma.

Todos os dias, dedico-me a sintonizar essa presença de amor por meio de rezas, meditação, práticas conscientes, conexões e ações amorosas comigo e com os outros.

Assumo a responsabilidade pela realidade que crio, tornando o amor um hábito, e nutro essa conexão diariamente.

É por isso que, mesmo depois de décadas como professora e estudante de espiritualidade, exercito diariamente e inclino-me para amar todos os dias. Esse é um compromisso que assumi por toda a vida.

E a boa notícia é que tudo fica muito mais fácil!

Neste livro, você também encontrará várias pesquisas científicas a respeito dos assuntos que validam todas as experiências e histórias relatadas, caso isso seja importante para você.

E como qualquer novo hábito, quanto mais você pratica, mais divertido se torna. Hoje tenho um relacionamento incrível com o "*fluxo*", que, por sua vez, nunca me decepciona nem me abandona.

Capítulo 2

Você tem medo de quê?

Você já deve ter se perguntado diversas vezes durante a vida de onde surgem os medos. Esse sentimento que vence a coragem e paralisa diversas ações, surgindo como um bloqueador da vibração energética (assunto que entenderemos mais adiante), e faz com que a mente seja tomada pela insegurança.

Todos nascem sensíveis e empáticos, sentindo as vibrações geradas ainda na gestação; conforme vamos crescendo, tomamos para nós traumas e medos das situações e das pessoas que nos cercam, fazendo com que passemos a duvidar de nós mesmos e das nossas forças internas.

Não culpe ninguém por isso, culpar não vai ajudar em nada; entender, sim.

A partir de hábitos emocionais negativos, passamos a baixar nossa vibração pessoal, tornando-nos seres incapazes de confiar na própria intuição.

Vibrações emocionais de pessoas e de locais que nos cercam enquanto estamos em fase de crescimento e desenvolvimento fazem com que o nosso campo energético se torne luminoso e encorajado ou sombrio e desmotivado.

Quando nos debruçamos para olhar os grandes medos da sociedade moderna – que já nomearemos –, vemos como cada um deles tem vida própria, e só de ver a lista a seguir algo reverbera dentro.

Certa vez, escutei algo de uma autora de um livro sobre morte que me fez muito bem. Perguntei para ela: "Como está a aceitação do seu livro no mercado?".

Ela me respondeu: "As pessoas acham que, por elas lerem sobre a morte, vão atraí-la".

A boa notícia é que não funciona assim! Você não atrai esses medos por fazer contato com eles! Enfrentar é colocar na frente, e só dessa forma será possível tomar as rédeas da sua própria paz! Então, vamos lá:

1. Medo da escassez;
2. Medo de críticas;
3. Medo de doença;
4. Medo da solidão;
5. Medo da velhice;
6. Medo da morte.

1. Medo da escassez:

- medo da pobreza extrema;
- medo de decair;
- medo de falhar.

2. Medo de críticas:

- medo de ser julgado;
- medo de como será visto pelas pessoas;
- medo da responsabilidade;
- medo de perder o controle.

3. Medo de doença:

- medo da morte;
- medo de doenças incuráveis;
- medo de perder a consciência.

4. Medo da solidão:

- medo de decepcionar alguém;
- medo de não ser suficiente;
- medo de não agradar as pessoas;
- medo de perder o amor de alguém;
- medo de ficar só.

5. Medo da velhice:

- medo de perder a beleza estética;
- medo de não ter mais tempo;
- medo de não ser mais útil;
- medo de perder memórias.

6. Medo da morte:

- medo de não ter sido suficiente;
- medo de ter falhado durante a vida;
- medo do desconhecido;
- medo de deixar seus entes queridos;
- medo de que alguém morra.

Para fins didáticos, neste livro falaremos sobre os medos mais comuns, todos derivados dessa lista.

Perceba como, em alguma etapa da vida, você já passou por alguns deles, ou todos eles, ou está passando neste momento.

É importante que você compreenda como os seus medos são comuns aos seres humanos, e, acredite, eles são responsáveis por paralisar boa parte das suas decisões.

Você não está sozinha(o).

Antes de pensarmos juntos a respeito de cada um deles, é interessante refletirmos sobre a insegurança.

Você já se sentiu travada(o) por ela?

Consegue perceber que algumas oportunidades da sua vida são simplesmente jogadas fora por causa do medo de errar? A insegurança vem, principalmente, pela constante necessidade de controle.

Queremos controlar nossos filhos, nossos companheiros, nossa rotina e nossa empresa. Sentimos que, quando perdemos o controle, perdemos tudo.

Cabe então uma pergunta: você controla o seu futuro? Certamente você toma decisões procurando dominar sua perspectiva financeira ou sua programação anual, mas, como em um susto ou até mesmo um vírus na proporção que vivenciamos, a vida pode tomar um rumo diferente, e você verá toda a sua programação desfeita.

E, nesse momento, você se vê congelado, parado, pensando o que fez de errado e por que as forças espirituais não conspiraram a seu favor.

Depois de passado o transe, passamos para o outro estágio do medo: a indecisão. Ela provoca um estado paradoxo no qual não queremos decidir, pelo receio de não ser a decisão certa, mas, ao mesmo tempo, temos medo de que alguém decida por nós.

Entenda: a indecisão é uma decisão.

Quando você se coloca em um estado sintonizado na insegurança, seu corpo reage travando seu poder de decisão.

Você atribui a outra pessoa essa autoridade, e as vozes da sua mente começam a atormentar.

O pensamento é uma fala privada, e o sentimento torna-se real a partir de histórias contadas por você mesmo.

Ao perceber-se nesse estado, escolha retirar-se dessa sintonia e ouça sua intuição.

A sua intuição vem do "*fluxo*".

Procure um espaço calmo e vazio, sente-se e respire profundamente; encontre-se com sua frequência original, sinta a vibração da sua alma. Nela estará a resposta que você tanto procura.

Não acredite nessa "fórmula" de imediato, simplesmente faça o exercício abaixo e experimente.

Exercício

1. Sente-se de forma confortável.
2. De olhos abertos, faça uma respiração bem profunda pelo nariz, enchendo todo o pulmão de ar (pode forçar um pouco a entrada do ar, com o intuito de levar oxigênio para todos os cantinhos do pulmão).
3. Retenha o ar dentro dos pulmões por um breve momento.
4. Solte o ar pela boca, ouvindo o som da sua expiração como se fosse o barulho do mar (quando o ar estiver terminando, force o abdômen para dentro, a fim de retirar dos pulmões o ar residual).

5. Repita por três vezes essa dinâmica e perceba, sinta a vibração no seu corpo físico e no seu corpo sutil[1].

Quando reconhecemos os nossos medos e inseguranças, somos capazes de visualizá-los e de nos acalmar.

No primeiro momento, há mais medo, mais pânico, mais inseguranças, mas é a partir da canalização da nossa energia pura e primária, da primeira inspiração profunda, aquela antes dos traumas causados pelos campos vibracionais que nos cercam, que nos reconectamos com o próprio poder de ação.

Tudo contém em si o poder de transformação. Use-o a seu favor, use-o como energia motivadora para sua reconexão e para o seu despertar.

Saulo, 42 anos, empresário criado de forma "superprotegida" pelos pais, sempre apresentou problemas em tomar decisões. Casado há doze anos com Laís, uma mulher confiante e muito segura de si.

Ele repetia hábitos e padrões de comodidades ao dar a sua esposa o poder de decisão da vida dele.

Em uma viagem a negócios, recebeu uma proposta que poderia mudar os rumos da empresa da sua família, e, como de costume, foi à esposa questionar as possibilidades e transpor a ela a decisão a ser tomada.

Laís, percebendo o sentimento de ansiedade e insegurança do marido, pôs-se fora da decisão. Deixou que Saulo decidisse o rumo a ser tomado pela primeira vez na vida.

[1] Camada de luz transparente (pouco perceptível) em torno do corpo físico com o mesmo formato deste. O corpo sutil é responsável pelo intercâmbio energético que garante a ligação entre corpo físico e alma.

O empresário desesperou-se, brigou com a esposa ao culpá-la por sentir-se sozinho e desamparado.

O casal começou a desentender-se, gerando uma desarmonia até então desconhecida por eles. Foi quando uma amiga sugeriu para Laís a Cabala da Casa®, e Saulo aceitou.

Logo depois do meu encontro com o casal – e de criarmos juntos seus mantras pessoais –, Saulo percebeu a importância de encontrar-se com sua frequência original.

Decidiu fazer um exercício sugerido de contemplação de determinada letra quântica (símbolo específico do alfabeto hebraico) e uma respiração ritmada.

O empresário repetiu seu mantra pessoal diversas vezes: "Escuta, Saulo, você realmente é digno de sucesso e de amor".

Até perceber que o sentimento que o estava apavorando não eram as duas possibilidades de rumo para a empresa, e sim o medo de tomar a decisão errada.

Saulo percebeu que toda a sua frequência original estava abalada por seu hábito emocional prejudicial baseado no "modo fugir".

Tomada a decisão, a empresa alcançou enorme expansão, e Saulo me ligou para compartilhar o sucesso e agradecer!

Foi nesse momento que relembrei ao empresário sua capacidade de encontrar a resposta sintonizando com sua frequência original, apesar do medo.

Vendo a situação de Saulo, eu lhe pergunto: a quem você está confiando o poder de decisão da sua vida?

O "modo fugir", inerte no medo e na insegurança, é o motivo do enfraquecimento da confiança e da sua frequência original.

Trocar ideias com pessoas em quem confiamos é a melhor parte disso tudo, mas é preciso desenvolver hábitos emocionais saudáveis; alimente a sua alma e verá como todas as respostas da sua vida estão dentro de você.

Ao perceber-se paralisado, não esqueça que o movimento e a resposta vêm da sua alma.

Medo da escassez

Para o primeiro medo apontado, uma das definições no dicionário é "falta de um bem ou serviço em relação à sua necessidade". Mas é realmente isso que amedronta?

É a falta de um bem material ou serviço que anula o poder de decisão?

Desesperadamente, corremos atrás da abundância financeira e do que entendemos como sucesso, mas não percebemos que ambos acontecem quando estamos bem com nosso estado de espírito.

É a partir da confiança que vem a capacidade de realizar investimentos, pois não há abundância se a mente está voltada para o medo da escassez.

Reconhecer o que já se tem em bens materiais e imateriais é criar a percepção da abundância, lembrando que esse conceito é relativo.

Ter uma atitude de gratidão por tudo que você conquistou e por tudo que tem hoje conecta sua frequência original na fonte da abundância.

O reconhecimento das próprias conquistas é pura riqueza.

O medo da escassez é o propulsor do medo da pobreza extrema e do medo do fim de algum bem material.

Quando Saulo viu-se ansioso e inquieto com a necessidade de tomar uma decisão que poderia mudar o rumo da empresa de sua família, sua indecisão e insegurança foram geradas pelo medo de perder o padrão da sua vida material, o padrão de bens conquistados até então.

Só quando Saulo percebeu que a resposta de todas as suas aflições estava dentro de si é que notou a riqueza que continha na sua alma e como a escassez estava vindo do seu pavor.

Você é o responsável por sua abundância. Não deixe que a insegurança bloqueie sua energia da frequência original pelo medo de errar.

No momento de indecisão, lembre-se sempre de que a melhor decisão está dentro de você.

Respire, confie e ajuste sua frequência original com seu mantra pessoal, que, em breve, receberá.

Comece perdoando-se e acolhendo-se.

Percebendo-se como um ser capaz de errar e acertar.

Sua maior riqueza é sua vida, sua frequência original.

O medo do qual estamos falando é baseado em algo que ainda não aconteceu.

É uma ação, um movimento consciente que desfaz o medo.

É o poder da ação que faz com que o medo da escassez se vá.

Tudo, absolutamente tudo, começa no seu sistema de crença. Antes de qualquer coisa tornar-se realidade para o mundo, é preciso que se torne realidade para você.

Exercício

Vamos juntos:

Comece a perguntar-se:

O que estou sentindo?

A resposta não é imediata.

Mas comece a criar esse novo hábito.

Esses pensamentos e sentimentos na lista a seguir são gerados pelo medo da escassez:

- **apatia** – perda do entusiasmo e normalização do fato de ter pouco;
- **ansiedade** – insegurança causada pelo nervosismo de que as coisas não estão de acordo como gostaria que estivessem;
- **excesso de precaução** – pensamentos e sentimentos voltados para as próprias falhas;
- **procrastinação** – o hábito de deixar tudo para depois, inclusive decisões.

O estado de espírito é influenciado o tempo todo por nosso campo vibracional; ele é, em si, o campo vibracional.

O envolvimento com pessoas e espaços que energizam seu espírito e colaboram para o seu desenvolvimento espiritual ser rico em aprendizado é uma escolha que ajuda a sustentar a percepção da sua riqueza espiritual; assim, não há motivo nem espaço para o medo instalar-se.

Nossa felicidade, sucesso e segurança podem ser medidos pela nossa capacidade natural de sintonizar com o "fluxo".

A razão pela qual tantas pessoas se sentem infelizes, mal-sucedidas e inseguras é que elas esqueceram onde encontrar sua verdadeira felicidade, sucesso e segurança.

Lembrar onde está o seu verdadeiro poder o reúne com o *"fluxo"*, para que você possa realmente desfrutar dos milagres da vida.

E o mais importante, para que sua felicidade possa ser uma expressão de alegria que eleva o mundo, a alegria é essencial. Essencial é aquilo que não pode faltar. O que bloqueia nossa alegria é nossa separação do amor.

O caminho de volta ao amor começa com a compreensão de como nos desconectamos. Todos nos desconectamos de nossas próprias maneiras.

De uma maneira ou de outra, negamos o *"fluxo"*, o amor ao Universo, e escolhemos o medo do mundo.

Optamos por atrair os medos das notícias, os medos em nossas casas com situações mal resolvidas, em nossos ambientes de trabalho, e enquanto nos deslocamos.

Separamo-nos do *"fluxo"*, dando propósito à dor do medo e dos pensamentos que vêm de fontes internas e externas.

Negamos o poder do *"fluxo"* e tentamos nos salvar pelo medo. Esquecemos completamente o amor.

"Quando bate o medo, é um sinal claro de que você começou a criar historinhas dentro da sua cabeça. Essa é uma mensagem profunda."

Separar-se do "*fluxo*" significa que você nega a presença de um poder superior e começa a controlar tudo com a sua mente, criando situações imagináveis, e começa então o sofrimento gerado pelos pensamentos negativos.

No momento em que você escolhe desconectar-se do "*fluxo*", perde de vista a segurança, a proteção e as orientações claras que, de outra forma, estão disponíveis para você.

No momento em que você se realinha com o "*fluxo*" e entrega para o Universo, uma direção clara será apresentada.

A presença do amor sempre expulsará o medo.

Estar em sintonia com a energia do "*fluxo*" é como uma dança, em que você confia tanto no seu parceiro que apenas se entrega ao ritmo da música.

Quando você começa a dançar com o "*fluxo*", sua vida flui naturalmente, uma sincronicidade incrível se apresenta, soluções criativas despertam e você experimenta a liberdade.

Sincronicidade, orientação, cura e abundância estão disponíveis para nós o tempo todo. Tudo o que precisamos fazer é nos sintonizar com o "*fluxo*" do Universo, assim vibramos uma energia abundante de amor e solidariedade, nossa frequência original.

Quando estamos alinhados com o "*fluxo*", a vida torna-se um sonho feliz.

Medo de críticas

Exercício

Pare por trinta segundos e formule uma frase que melhor defina a sua personalidade.

Como você se vê?

Eu me vejo___________________!

Como está o seu julgamento pessoal?

____

Esse conceito de julgamento pessoal é a autocrítica.

Muitas vezes, o medo de como as pessoas nos veem vem de como estamos nos enxergando e que histórias sobre nós mesmos estamos contando.

Crie o hábito de narrar histórias positivas sobre si, veja o seu lado positivo e o quanto você já venceu em suas batalhas. É quando enxergamos tudo de bom que podemos oferecer às pessoas que elas passam a nos enxergar com bons olhos.

As pessoas que têm medo de crítica, o segundo medo apontado em nossa lista, são inseguras para tomar decisões por medo de serem julgadas.

O próprio fato de não tomarmos decisões já faz com que sejamos vistos como pessoas inseguras e indecisas.

É importante que tenhamos em nossa mente que, quando tomamos qualquer decisão, já somos julgados.

Nem tente agradar a todos!

Perceba como o medo de críticas vem agrupado ao receio de como as pessoas nos enxergam, mas lembre-se de que você também percebe as pessoas à sua própria maneira, então será inevitável que tenham suas próprias conclusões sobre seus atos e decisões.

Cabe a nós percebermos em nós mesmos a importância que temos.

Crítica é algo que não podemos evitar, porque a tendência a julgamento é intrínseca ao nosso ser, assim como nas outras pessoas.

Tire o foco das pessoas.

E não se compare aos outros. Compare-se a si mesmo, sua evolução é pessoal.

É possível que você seja o seu maior crítico, e isso faz com que as pessoas enxerguem somente os seus erros e inseguranças. Mostre às pessoas sua confiança, seu poder de decisão e sua capacidade de escolha. A partir disso, verá como o julgamento delas será dado a partir do seu exemplo de bom posicionamento.

O medo de como somos vistos pelas pessoas, muitas vezes, surge a partir da nossa necessidade de sermos perfeitos.

Lembre-se de que você é um ser humano que está construindo sua jornada.

Permita-se a possibilidade do erro, não se julgue por isso.

Foque em si mesmo, enxergue suas necessidades e confie na sua alma e na sua frequência original.

Quando passamos a olhar para nossa alma, percebemos como as decisões são tomadas de forma consciente e sem o medo do erro, com a certeza de que o seu campo vibracional alinhado ao *"fluxo"* vai incumbir-se de trazer o que deve ser seu.

"É preciso dedicar-se à excelência do seu trabalho, não a sua perfeição."

A perfeição gera ansiedade e frustração, já que seremos nós mesmos que procuraremos os possíveis defeitos nas nossas ações.

Quando focamos na excelência, miramos no melhor resultado, sem nos preocuparmos com o modo como as pessoas enxergarão o tal resultado.

Pensemos nos jovens estudantes que todos os anos se dedicam por horas e horas em busca da aprovação em uma universidade, para fazer a sua graduação dos sonhos.

Há muitos relatos de candidatos que mal conseguem fazer a prova, mesmo depois de tanta preparação, pelo simples medo de errar.

Bruna é uma jovem vestibulanda de 20 anos que tenta entrar na faculdade de Medicina, mesma profissão do seu pai, pelo terceiro ano consecutivo. Sua mãe, uma pessoa espiritualizada, tenta durante todo o ano acalmar sua filha e dar o suporte necessário para que ela não enfrente novamente a frustração

Muito confiante nos seus estudos e na sua preparação, a jovem vai fazer a prova no dia marcado, certa de que dessa vez obteria o resultado desejado. Ao chegar ao seu assento, ela percebeu que era localizado ao lado da mesa do mesmo fiscal de prova do ano anterior.

Nesse momento, a insegurança tomou conta da sua cabeça, e Bruna começou a pensar no que o fiscal pensaria, criando, assim, um julgamento sobre ela.

A partir desse momento, todo o conhecimento adquirido por ela durante os anos de preparação foi colocado de lado para dar lugar à sua insegurança e ao medo.

Bruna fez o que fazemos diversas vezes durante a vida: deixou que o medo tomasse o controle da situação.

O resultado não foi o esperado.

A jovem obteve uma pontuação menor do que vinha tirando nos anos anteriores.

A sua nota reflete o que ela é como candidata ou como futura médica?

Sua nota é o espelho do seu medo e a forma como ela se enxerga.

Quando Bruna começou a contar narrativas poderosas de si mesma é que transformou todo o seu medo em potências.

Quantas vezes o medo do julgamento das pessoas direcionou a sua vida?

No momento em que travamos pelo medo do julgamento que as pessoas farão de nós, temos a oportunidade de perceber o quanto temos medo da responsabilidade.

Você é responsável pelas suas escolhas da vida simplesmente porque é a melhor pessoa para fazê-las.

Conectado à frequência original e ao "*fluxo*", você escolhe a partir das necessidades da sua alma, sem precisar da aprovação de outras pessoas.

Você sabe o que é melhor para si próprio.

Seja responsável por traçar seu próprio trajeto.

Desenhe seus próprios passos.

A ideia de resposta "certa" deve ser a mais verdadeira para a sua alma, e não para conseguir a aprovação de outras pessoas.

Quando a decisão tomada for a resposta para suas necessidades, verá como ela será a certa, independentemente do julgamento de quem está ao seu redor. A resposta está na sua verdade.

Medo tem a ver com o futuro, e o futuro nos dá medo por ser incontrolável.

Crie a imagem do seu futuro da melhor forma possível!

Uma imagem mais luminosa do que vinha imaginando até então, e viva o agora, somente o agora.

Não viva o futuro, até mesmo porque ele ainda não está acontecendo.

O passado é imutável, e o futuro ainda está por vir.

A realidade que você cria é a realidade que você vive.
Sua percepção é você quem projeta.

O sistema de crenças que carregamos comanda nossas experiências.

Isso significa que quaisquer que sejam as histórias que você está projetando em sua mente, são as que você percebe em sua vida.

Imagine que você está assistindo a um filme. Está no ponto dele em que algo realmente ruim está prestes a acontecer.

Você sabe que, se a protagonista virar a esquina, entrará em uma situação de risco de vida. E aí seu coração começa a sentir e a sua mente começa a gritar "Não faça isso! Não vire a esquina!".

Muitas vezes, projetamos nossas vidas assim.

Mas, muitas vezes, ficamos aprisionados na mesma cena.

Nossa percepção é fruto da nossa projeção.

Meu pai guardava uma arma em uma gaveta na cabeceira da sua cama.

Meu medo dessa arma era entrelaçado com a curiosidade. Quando a curiosidade é maior que o medo, saímos de um ponto estagnado, gerando um movimento para ver qual é.

Diferentemente da coragem, a curiosidade muitas vezes é ingênua e nos faz correr vários riscos e perigos. A curiosidade segue desprotegida.

Enfim, o fato de abrir uma gaveta pesada por ter uma arma dentro já era um risco. E, naquele tempo, bastava falar uma única vez e a obediência era instaurada. "Não mexa aqui!"

Medo, mas ao mesmo tempo curiosidade em ver.

Para que meu pai tem uma arma?

A mente responde: para quando o ladrão entrar na casa, ele nos proteger. Pronto! Pânico de ladrão, pânico de ficar sozinha em casa sem meu pai.

O fato é que nossas histórias de medo são sorrateiras.

Elas vivem em nossas psiques e em nossas células, permanecem em nosso subconsciente. Bem quando pensamos que estamos curados da falsa projeção... essas histórias ressurgem!

Algo simples pode desencadear e enviar-nos de volta ao antigo medo.

Foi com a coragem, enfrentando mesmo, que consegui ficar sozinha em casa.

Jovem ainda, não tinha esse conhecimento de que estar conectada ao "*fluxo*", entregando para o Universo, é sinônimo de coragem.

Um dia, a velha história desse medo voltou!

Tive consciência suficiente naquele momento da vida para optar vê-la de maneira diferente. Eu disse em voz alta para mim mesma: "Obrigada, D'us, por me ajudar a curar isso. Perdoo e solto esse pensamento".

Essa foi a minha maneira de sair da projeção temerosa.

Hoje, é claro, essa frase evoluiu até chegar na fórmula do meu mantra pessoal – em breve, você terá o seu!

Você percebe o mundo que projeta, você é o fabricante das imagens!

Que imagem você está criando? Pare e reflita por alguns segundos...

Quais histórias do passado, baseadas no medo ou em projeções sobre o futuro, você está exibindo na tela do filme?

Como essas histórias estão impedindo que você se sinta apoiado e feliz?

Você é o roteirista e o protagonista das suas imagens!

Exercício

Este exercício o ajudará a entender como as projeções positivas em que você acredita estão apoiando sua conexão com o "*fluxo*" e como suas projeções negativas mantêm-no preso.

Da mesma forma que as histórias medrosas impedem-no de fluir no Universo, suas histórias positivas fortalecem sua vida.

Lembre-se de projetar o filme positivo que quer exibir.

Vamos examinar atentamente as histórias poderosas que você está reproduzindo no seu projetor interno.

Se tiver dificuldade de encontrar uma história de fortalecimento, apenas mantenha a simplicidade.

Uma história de fortalecimento pode ser uma lembrança de um momento feliz quando estava com amigos se divertindo.

Tem uma cena que amo de paixão, de quando meu filho tinha um ano e meio. Vesti-o com o uniforme da mesma escola a que eu ia para o maternal, uma camisetinha amarela, e ele estava todo feliz! Apoio-me nessa cena sempre!

Responda:

1) Quais são as histórias de poder baseadas no amor que você repete na sua cabeça?

___

___

2) Como essas histórias fazem você se sentir apoiado e feliz?

___

___

Um grande objetivo deste livro é trazer mais energia para as histórias positivas e usar as práticas para ajudá-lo a curar as histórias negativas.

A boa notícia é que a saída de nossas projeções de medo é simples.

Medo de doença

Quem desenvolve o medo de doença de uma forma crônica, o terceiro medo apontado, é normalmente a pessoa que conta histórias de doenças.

Contar para si e para os outros narrativas que carregam o peso de uma doença passa a ser um limitador das próprias ações. Muitas das vezes a razão para que esse medo assole a mente é estar rodeado por pessoas que carregam histórias dessa natureza.

Ajude essas pessoas a contarem narrativas de cura ao invés de dor e sofrimento.

Mude o foco para a cura da doença em si.

Pesquisas apontam que pessoas adoecem por tanto falar no medo de adoecer.

Acredite na sua saúde e no seu curador interno.

Somente essa crença poderá protegê-lo de qualquer doença e trazer esperança para os enfermos.

Ocupe sua alma com pensamentos positivos e ideias que tragam saúde, e verá como isso se tornará real.

Desenvolvendo esse assunto, lembrei-me de Sonia, professora de cardiologia quando eu cursava Biotecnologia em Israel.

Durante o meu curso, tive o prazer de ter três disciplinas lecionadas por ela, e, já no fim da faculdade, recebi a notícia de que ela tinha um câncer.

Não acreditei naquilo, não contive o medo e meu desespero.

Fui imediatamente falar com ela e, de alguma forma, trazer consolo ao fato descoberto.

Ao encontrar a Sonia, já carregando em mim uma história de desânimo e tristeza, encontrei-a sorridente como sempre, em um grupo de alunos.

Pedi para conversar com ela, entregando todas as palavras de desânimo que inconscientemente carregava na minha mente.

Foi quando tive a maior surpresa. Sonia me disse que já estava lutando contra o câncer havia mais de três anos e que, no período em que tivemos aula, já tinha começado o tratamento.

Lembro-me até hoje da sua reação tão natural e enérgica de me explicar que ela não deixava que aquela doença tirasse dela sua alegria de viver.

Apesar de ter câncer, Sonia carregava em si a narrativa de sucesso e confiança, fazendo com que a doença se tornasse um detalhe do seu dia a dia.

Sonia não sabe, mas me ensinou uma das maiores lições da minha vida. Percebi naquele momento que somos responsáveis pelas histórias que contamos a nós mesmos.

Sonia curou-se do câncer e está até hoje alegrando as manhãs dos jovens alunos que têm a sorte de cursar disciplinas com ela.

Acione o curador interno. A medicina tradicional entra com os recursos físicos, e o enfermo, com os recursos espirituais.

Imagine se Sonia deixasse que seu medo controlasse sua doença?

Você acredita que ela teria vencido o câncer?

É quando estamos face a face com a possibilidade da enfermidade que precisamos perceber a importância de não deixar os medos controlarem a situação.

Renda-se! Renda-se ao "fluxo"! Milagres acontecerão!

Exercício

Escuta,____________________

(coloque aqui o seu NOME)

Assim começamos a criar o seu mantra pessoal que realinhará sua conexão com o "fluxo" e com a sua frequência original.

É só o começo dessa criação, evoluiremos juntos nela.

Em qualquer momento, você pode tornar-se mais consciente de como suas intenções criam sua realidade.

Assumir a responsabilidade pelo mundo que criamos pode parecer assustador. Mas lembre-se, você pode escolher como deseja perceber todas as situações da sua vida, incluindo o seu processo de cura.

Definiremos sua intenção para avançar para o próximo capítulo com entusiasmo! Esse processo deve ser alegre!

Dê agora um sorriso!

E diga em voz alta: "É real o meu desejo de expandir a consciência com autoperdão e graça!".

Capítulo 3

Você tem medo de quê? (Parte Dois)

“Quando estamos diante de um de nossos medos, o maior inimigo não é o outro, somos nós mesmos.”

Espero que o capítulo anterior tenha ajudado a refletir sobre alguns medos que costumam paralisar, intoxicar a frequência original, e principalmente quais escolhas poderia ter feito em sua caminhada se tivesse buscado as respostas em sua própria força interior. Mas não se preocupe.

A partir deste capítulo, você já começa a sentir uma força dentro de si que até agora não tinha sido explorada.

Todas, absolutamente todas as respostas para vencer os seus medos estão dentro da sua alma.

Você é o responsável por desatar todos os nós e amarras que o aprisionam.

Como só você saberá essas respostas, não sinta vergonha nem constrangimento ao respondê-las; comece já testando a sua verdade consigo mesmo.

Você tem medo de quê?

O que o amedronta?

____

Quais memórias e sentimentos o aprisionam em uma caixa de inseguranças e indecisões?

____

É importante que você reflita sobre essas questões sem autojulgamento e com muito acolhimento, com amor-próprio.

Muitas vezes, desenvolvemos medos cujo poder paralisante sobre nós até então não nos tínhamos dado conta.

O medo da morte (assunto a ser tratado ainda neste capítulo) é um bom exemplo disso.

Já ouvi diversos relatos de pessoas que, a partir de uma experiência familiar de morte ou doença, desenvolvem o medo de morrer e deixar filhos, entes queridos e empresas para trás.

Esse é o momento de fortalecer sua crença no "*fluxo*" e estar bem sintonizado com sua frequência original.

Ao perceber o desenvolvimento e o crescimento de algum medo, pare e questione-se: por que estou deixando que esse medo cresça em mim?

A resposta está em você!

Ao ouvi-la, acolha-se!

Os medos crescem e tomam o controle das nossas vidas porque muitas vezes decidimos não olhar para eles. Essa estrutura interna de não querer ver joga contra nós mesmos! E é nesse momento que nasce o inimigo interno.

Vença essa guerra de ser controlado pelos medos que crescem em você o quanto antes. Enfrente-os e, de novo, acolha-se!

Medo da solidão

É muito comum encontrarmos pessoas que carregam em seu discurso uma narrativa de frustração amorosa ou o sentimento de que nunca encontrarão um grande amor.

É ainda mais comum identificar nessas mesmas pessoas fantasias de desconfianças e suspeitas dos parceiros enquanto estão em um relacionamento.

O medo da solidão ou de perder o amor de uma pessoa, o quarto medo abordado, é muito comum e apresenta-se de diversas formas: no amor romântico, amor de filhos, pais, mães, parentes e amigos.

Todo mundo quer ser amado!

Inicialmente, é preciso enxergar a si mesmo como um ser humano com acertos e erros, aberto a aprender durante toda uma vida.

Depois de absorvida essa ideia, analise seus relacionamentos:

Você confia no seu cônjuge?

Você confia nos seus filhos?

E nos seus amigos?

O medo de perder o amor de alguém pode ter sido desenvolvido, mesmo de forma inconsciente, pela insegurança.

A falta de autoconfiança aciona a desconfiança em todos ao redor, inclusive sobre as pessoas que amamos.

A partir dessa desconfiança, a dúvida instala-se e a mente começa a contar histórias de traição.

Pronto! Foi gerado o ciclo no qual a desconfiança gera rachaduras nos relacionamentos, trazendo medo e sofrimento, possivelmente terminando em abandono, o que mais se temia.

A desconfiança pode terminar em abandono.

O medo constante de perder o amor de alguém leva a um comportamento muito prejudicial e nocivo para o relacionamento.

Agora você consegue entender um pouco mais por que é necessário desenvolver e treinar a capacidade de olhar para dentro, observar seus padrões de comportamento e questionar seus sentimentos e aflições?

Qual é o real motivo de insegurança dentro de um relacionamento?

O que de fato gera o medo da possibilidade de ser abandonado a qualquer momento?

Pesquisas apontam que a maioria das pessoas que desenvolvem o medo de perder o amor também está congelada no medo de não querer decepcionar outras pessoas.

É provável que você já tenha vivido uma situação em que precisou fazer determinada escolha e acabou decepcionando alguém, deparando-se com o quanto isso minou sua força e sua energia.

Preste atenção: é nesse momento que o medo de perder alguém pode emergir.

Importante: não deixe que o medo tome conta da sua vibração, trazendo um sentimento de indecisão. Aja explicando o porquê e o para que da sua escolha. Quando essa pessoa perceber que a sua escolha foi feita de forma precisa e baseada no que alimenta a sua alma, das duas, uma: ou ela entende a sua escolha, ou ela faz as próprias escolhas baseada naquilo em que acredita, e isso faz parte dos erros e acertos.

Vai acontecer de você decepcionar algumas pessoas mais cedo ou mais tarde, mas isso não garante que será abandonado.

Pode até ser que, em algum momento da sua vida, ao decepcionar alguém que amava, tenha passado pela dor do abandono, mas isso não significa que todas as pessoas terão a mesma atitude.

Pare de contar a si histórias de generalização.

Cada vivência é única.

A forma como lidamos com o medo de sermos abandonados pelo amor de alguém vem a partir das histórias que contamos a nós mesmos. Preste atenção no roteiro que você cria.

Se você conta narrativas que são alimentadas por abandono, tristeza e desconfiança, a sua vida baseia-se nisso, fortalecendo o sentimento que o acorrenta.

Você atrai o que vibra!

A sua energia vibracional manifesta-se como o roteiro imaginado pela sua mente.

Conte histórias de relacionamentos bem-sucedidos para si mesmo!

Mude o roteiro!

Mesmo sem termos sido abandonados por alguém que decepcionamos, ainda podemos contar histórias de decepções amorosas, tornando-nos pessoas dependentes emocionalmente, temendo a dor o tempo inteiro.

E quando a insegurança bate, passamos a exigir provas do amor da outra pessoa, o que pode não acontecer de forma natural.

Isso desenvolve o medo de não ser bom o suficiente para a pessoa amada.

Perceba o desenvolvimento gradativo do medo de perder o amor, que nasce da insegurança, gerando dúvidas acerca do próprio valor, baixa autoestima e até autoabandono.

Por isso o amor-próprio!

Antes de amar qualquer pessoa, ame a si mesmo!

Pare e respire.

Nomeie suas virtudes.

____

____

Você é o seu maior bem.

Reconheça em si suas qualidades e habilidades.

Já vivi a sensação de abandono algumas vezes e também já abandonei, mas, conectada ao *"fluxo"* e aos anseios da alma, não carrego o peso da culpa das rupturas.

Caso você se olhe no espelho e não consiga apontar qualidades positivas sobre sua identidade, é preciso repensar sua energia.

O que você está fazendo para confiar mais em si mesmo?

Lembre-se: ser rejeitado por alguém não significa que você deve rejeitar-se.

Não fuja de relacionamentos pelo medo do abandono.

Conte a si mesmo histórias que incluam suas qualidades e a energia da sua alma. Narre momentos nos quais a sua força se faz presente e verá como sua vibração será recarregada e realinhada com a sua frequência original.

Relembrando: não tenha medo das críticas alheias, tome suas decisões a partir da sua verdade.

As pessoas já tiram conclusões sobre você, sobre mim, inclusive nós mesmos tiramos conclusões o tempo todo.

Confie nas escolhas apontadas por sua alma.

Quando pensa sobre os relacionamentos amorosos que viveu, qual foi a maior mudança feita em si mesmo para agradar o outro?

Quantas vezes você já mentiu sobre gostar ou não gostar de algo simplesmente para querer agradar?

Tenha orgulho de quem você é!

Você é suas escolhas e preferências!

Analisando os mais diversos casos de pessoas que têm a vida congelada pelo medo da solidão ou de perder o amor de alguém, percebemos como é comum que elas se sintam assim pelo medo de errar ou desagradar.

Cristina, engenheira de produção, 27 anos, viu-se travada por esse medo. Há quase dois anos morando junto com André, não sentia mais ânimo nessa relação.

Ao mesmo tempo que se enrijecia e estagnava a necessidade de tomar uma decisão quanto ao relacionamento, preferia proteger-se no medo de ficar sozinha.

Quantas vezes já paramos nesse lugar?

Em quantas ocasiões na sua vida você preferiu manter amizades tóxicas ou relacionamentos findos pelo medo de ficar só ou não ter mais o amor daquela pessoa e, com isso, dar lugar ao arrependimento?

Foi em uma das brigas do casal que Cristina percebeu que precisava tomar o controle sobre seus sentimentos e ser responsável pela energia canalizada a si mesmo.

Depois de muito angustiar-se, dominada pelo medo, a engenheira entrou em contato comigo para que a ensinasse como desenvolver a sua vibração pessoal e, assim, retomar o controle da sua vida.

Por meio do nosso contato, Cristina entendeu a necessidade de fortalecer-se e recarregar-se energeticamente para resgatar a autoconfiança.

Após os exercícios, ela tomou a iniciativa de terminar o casamento com André, mesmo sabendo a pessoa incrível que ele era e é em sua trajetória de vida.

Tanto Cristina quanto André casaram-se novamente com outras pessoas e agradecem a coragem de terem tomado a decisão de terminar seu primeiro casamento.

Preste atenção, preciso deixar bem claro: este livro de forma alguma traz incentivo para tomadas de decisões em rompantes!

No processo terapêutico, sempre me encarrego de levar os clientes a um consenso. Prezo em primeiro lugar a instituição da família, segurança, saúde, bem-estar e bem viver.

A escolha feita por Cristina fez com que tivesse a oportunidade de rever em si a pessoa incrível que é e o merecimento de sentir o amor, sem medo do abandono ou de tomar escolhas.

Tome as suas escolhas sem medo do abandono.

Lembre-se de que a única realidade que existe é o agora.

O passado já aconteceu, e o futuro é incontrolável; os temores e receios só existem na sua mente.

Não tenha medo da solidão amorosa!

Ela só existirá se você contar para si histórias de medo, pavor e abandono. Tenha em você as certezas da sua vida e perceba como todo o seu fluxo de energia será alimentado para que vença o medo e tome as decisões necessárias para encontrar a felicidade.

Mesmo que já tenha vivido uma história de abandono, você sempre terá a chance de recomeçar e reescrever o seu destino!

O medo de ficar sozinho é semelhante ao medo de perder o amor de alguém.

Esse já foi meu grande paralisador!

A presença masculina, a referência do meu pai, definitivamente fazia com que me sentisse protegida.

E um dos argumentos convincentes que meu roteiro projetava em mim era essa proteção masculina, a ponto de adiar por anos e anos um divórcio infelizmente necessário.

Esse medo passa pela condição da proteção, mas passa também pelo fato de deparar-se com a sua própria presença.

Você com você.

Lembre-se sempre de que você é a sua principal fonte de energia.

A sua frequência original é alimentada pelas suas escolhas e sua forma de tomar decisões.

E é comum infectar o campo energético pelo medo de estar sozinho introduzindo nele, a qualquer custo, pessoas que podem ser tóxicas e de baixa energia.

Não tenha medo de estar sozinho caso isso seja necessário para a sua saúde física e emocional.

Pense na sua liberdade de escolha e alimente da melhor forma sua frequência original.

Somente você pode desenvolvê-la e cuidar dela.

As respostas serão vazias se você colocar sua verdade em segundo plano.

Não atribua essa responsabilidade a outras pessoas, não demande que elas façam por você o que deve ser feito exclusivamente por você.

A frequência original alinhada ao "*fluxo*" encarrega-se de transmitir a confiança de enfrentar medos e inseguranças.

Entenda: solidão é ausência do outro.

Solitude é a presença de si mesmo, e é muito positiva.

"Você se sente tão pleno de si mesmo que pode até preencher um universo inteiro."

Busque a evolução do seu ser com calma, ache uma doutrina espiritual que faça sentido e experimente a verdadeira liberdade de ver as coisas de forma segura, sem a necessidade da aprovação dos outros. Isso é ser livre.

Medo da velhice

Diferentemente do medo da solidão ou de perder o amor de alguém, a velhice não é uma dúvida, ela de fato chegará.

Só envelhece quem vive!

Se deseja uma vida longa, é inevitável envelhecer.

E isso é motivo para celebração!

Não importa o tipo de histórias que conte a si mesmo, você irá envelhecer. A diferença que as narrativas farão em nós é como as contamos.

Se você narra histórias de pessoas que pararam suas vidas ao chegarem a determinada idade ou que não se consideraram capazes de ver em si a época de vitória que estavam vivendo, acredite, você projeta esse mesmo futuro.

É comum pessoas a partir dos 50, 60, 70 anos em diante criarem justificativas para serem perdoadas por suas idades, mas não percebem que essa é a melhor época de suas vidas.

É quando você pode olhar para essa trajetória e glorificar tudo que conquistou, todo o respeito adquirido, e assim confiar ainda mais em quem é.

Então, por que as pessoas têm tanto medo de envelhecer?

Há vários fatores que colaboram com esse medo e que levam à falta de valorização dos anos que passam em nós e, mais do que isso, da bagagem espiritual que carregamos conosco.

Falta de confiança, medo de ficar só, medo de adoecer, limitações físicas, limitações estéticas, definitivamente podem travar a alegria de viver, questionando a nossa importância no mundo que nos cerca.

Acredite: a cada ano que passa, a sua importância só deve aumentar.

Questionar sua importância é uma narrativa que enfraquece sua frequência original. E algumas são as narrativas que de fato a enfraquecem.

Até porque a frequência original tem uma camada autoprotetora contra a maioria dos padrões negativos que circulam em nossas histórias, mas perda de autoimportância, vergonha e culpa, essas expressões negativas tocam diretamente na frequência original, enfraquecendo nosso SER.

Esse medo começa a boicotar sonhos e planos, levando a uma narrativa nociva de que a sua presença na vida das pessoas pode ser descartável.

Ao livrar-se do medo de envelhecer, parte da ansiedade também é liberada.

Pessoas ansiosas, de acordo com estudos da área, têm maior probabilidade de ficar doentes. Envelhecer é parte de um processo natural e, apesar das limitações físicas, pode ser a fase de maior liberdade para seu espírito!

Não espere para começar a viver.
Viva o dia! Dia após dia.

A idade não impossibilita vitórias e decisões de sucesso; ela deve ser algo que impulsiona suas certezas.

O medo de envelhecer, o quinto medo abordado, precisa ser vencido e transformado em um troféu exposto e exibido como motivo de orgulho.

Quando o medo de envelhecer dominá-lo, pare tudo e fale seu mantra pessoal!

Perceba em si todas as características que fazem de você uma pessoa que merece respeito e cheia de sabedoria.

O futuro amedronta por ser finito, e a velhice está associada a um ponteiro de relógio contando o tempo de modo regressivo. Assim como o medo da morte, que já exploraremos, o medo de envelhecer só o congelará se você passar a interpretar que a idade está associada ao pouco tempo de vida.

Não se torture com esses pensamentos!

O tempo de vida é algo impossível de prever ou calcular, então, não diminua seu fluxo energético com esses pensamentos.

Acalme seus pensamentos, inspire-se em pessoas idosas que tragam bons exemplos e, mais do que isso, encha seu coração de boas vibrações!

Isso fará com que você perceba que seu tempo não acabou, e que mais importante do que pensar no tempo que ainda temos é pensar na qualidade desse tempo.

Aproveite os pontos positivos do envelhecimento, encare como uma vitória ter chegado até aqui.

As narrativas que contamos em nossas mentes são influenciadoras do que vivemos, então, ao invés de passar horas contando narrativas de derrota e desespero, conte histórias que façam com que perceba sua importância no mundo e sua colaboração.

Enxergue as coisas boas que vêm junto à idade e passe a ser uma(um) influenciadora(dor) positiva(o) do tempo!

Use seu tempo de vida para nutrir sua frequência original; você precisará dela na próxima vida também!

Medo da morte

Pare por dois minutos a sua leitura e pergunte-se: você tem medo de morrer?

Esse medo atrapalha a sua vida de alguma maneira?

Caso você tenha respondido "sim", saiba que não está sozinha(o).

Diversas pessoas no mundo passam os dias amedrontadas pelo medo da morte e deixam de viver suas vidas com plenitude.

Fui asmática quando criança. Os asmáticos têm muito medo de morrer. Justificável, não é mesmo?!

Falta ar!

E como tudo, ao mudar a percepção, mudamos o rumo das coisas.

Não falta ar, o ar entra e, na verdade, não sai.

Eu ia soprando bolas de encher até chegar ao hospital.

Um dia, me curei.

O medo da morte, o sexto medo abordado, pode ser gerado por alguma doença, pobreza, falta de ocupação produtiva, pela religião ou pelo excesso de pessoas que carregam narrativas de morte ao seu redor.

Procure andar ao lado de pessoas que fazem os seus dias mais felizes e passe a ser um estimulador para sua família, amigos e companheiros de trabalho, ensinando as pessoas que o cercam a contarem histórias estimulantes.

Você já tem essas ferramentas ao terminar este capítulo, coloque em prática!

Os obstáculos não devem impedir a vida de ser celebrada!

Essa é a melhor maneira de percebermos que a morte é só mais uma etapa da nossa vida, a mais certa que temos.

A morte é certa, mas não devemos entendê-la como um fim, e, sim, como um ciclo pelo qual precisaremos passar.

Morrer faz parte da vida.

O medo da morte é inútil. Conte narrativas que o relembrem dos diversos motivos para ser feliz!

O medo da morte é baseado em algo que ainda não aconteceu e também pode surgir do sentimento de não ser suficiente.

Por isso o dia a dia, por isso o presente. Essa construção o encherá de sentimento de suficiência no futuro!

Você terá a certeza de que levou a vida e tomou as decisões necessárias atreladas ao desejo da sua alma.

Mate o medo da morte!

Nossas células nascem e morrem o tempo inteiro em nossos corpos. Esse ciclo não é para amedrontar, e, sim, para renovar!

Minha avó paterna, Fanny Bass Rosemberg, minha Faigel, viveu 93 anos.

Era uma entusiasta e uma diplomata nata! Esses eram seus maiores talentos.

Em 1932, veio da Polônia para o Brasil. Os tempos eram difíceis, ela só tinha nove anos quando sua mãe faleceu deixando um marido com três crianças pequenas.

Os jovens judeus, sete anos antes de a Segunda Guerra começar, já não tinham o direito de sentar-se em cadeiras no colégio; eram obrigados a estudar em pé.

Durante uma de nossas inúmeras conversas, perguntei se ela tinha medo de morrer.

A resposta dela foi algo que ficou gravado em minha memória e no meu coração. Ressignificou o meu conceito de morte e, principalmente, o de vida.

"Sandrinha, já deixei meu túmulo pago, já passei meus bens para o seu pai e dei tudo que poderia dar em vida!

Não esperem receber nenhuma herança grandiosa, pois dou tudo o que posso para vocês em vida!"

A resposta dela não foi sobre a morte, mas, sim, dar o melhor em vida!

Naquele momento, entendi que o foco não é a morte, e sim a vida!

Que inteligência e sabedoria organizar a própria morte, quer dizer, a própria vida!

Faigel era uma contadora de histórias bem-sucedidas e aproveitava ao máximo cada momento.

Na prática, poderia ser uma lamentadora, pois não lhe faltavam motivos. Mas sua escolha foi ver sempre o lado bom da vida!

"*Fluxo*" alinhado à frequência original, essa é a fórmula da liberdade e da plenitude.

Faça da sua vida um grande campo de felicidade e alegria!

É somente quando percebemos a importância de valorizar-se, entender-se, acolher-se, respeitar-se e alimentar-se de energias positivas que passamos a viver no "*fluxo*".

Contagie as pessoas ao seu redor com alegria e histórias estimulantes, assim você reforça sua confiança, além de ser um canal propagador de boas vibrações!

Assim você torna sua alegria um estado de espírito vivo, comemora as suas conquistas diárias e irradia luz!

Capítulo 4

Frequências vibracionais

Somos seres vibracionais nadando em um oceano de vibrações

E aí?! Sobreviveu à chuva de informações dos últimos capítulos?

Ao chegar até aqui, talvez tenha se sentido incomodado em ler tantas questões que envolvem nossa alma, nossos emaranhados mais íntimos e medos enraizados em nosso ser.

Sim, assim somos nós! Material humano! E vamos seguindo nossa caminhada!

A partir de agora, você atingiu um outro patamar energético, está aprendendo a importância de honrar seu medo e trocar a realidade baseada no que o aprisiona pela realidade da potência da sua alma.

As grandes mudanças ocorrem mesmo quando estamos incomodados, infelizes ou insatisfeitos.

Esses sentimentos afloram aspectos da vida que até então estavam cristalizados e paralisados; buscamos respostas mais verdadeiras.

Depois de ler sobre todos os medos que nos bloqueiam, assolam nossa vida e acorrentam nossa energia, você deve estar se perguntando: como posso alimentar minha alma para ter força de vontade e animação, a fim de vencer os medos que hoje habitam em mim?

Para isso, há uma resposta simples, mas que, se não for levada a sério, pode ter alto custo energético: você precisa acessar sua vibração pessoal.

O que isso quer dizer na prática?

A vibração pessoal é a estação da alma que se expressa por meio do corpo sutil, manifestando-se no corpo físico.

É a experiência interna e externa em comunhão vibracional.

A sua vibração pessoal aponta as energias que o cercam, ainda que de modo instintivo, e aciona sua intuição – assunto de que falaremos mais à frente.

Todos nascemos com uma frequência original, uma vibração pessoal única, assim como as digitais nos dedos, e sentimos, ainda no ventre de nossas mães, essa força por meio dos batimentos cardíacos, junto com o próprio ritmo do coração.

Nas crianças, essa vibração pessoal pulsa forte!

Já fomos crianças e, em algum lugar dentro de nós, continuamos sendo.

A criança acessa o mundo do invisível, sua imaginação, dando vida a situações e amigos imaginários.

Com o tempo, os pais, o próprio crescimento, encarregam-se de abafar e até mesmo remover esse invisível tão real.

De fato, não temos ainda ferramentas concretas para situar as crianças, deixando que habitem esse mundo, mesmo que de forma parcial, sem obstruir o potencial criativo.

Nenhum pai ou mãe quer ver o filho rotulado de "maluquinho".

Mas para onde vai esse mundo invisível?

Sem o estímulo de desenvolvimento desse imaginário, começamos a colocar essa vibração pessoal, até então livre, em uma caixinha para ser usada posteriormente, e muitas das vezes nos esquecemos da sua importância e de como podemos acessá-la.

É na gestação que a vibração pessoal começa a ser afetada pelo campo energético que nos cerca, sendo afetados diretamente pelas vibrações dos espaços e das pessoas que estão ao nosso redor.

Por exemplo, se uma mulher no período de sua gravidez for cercada de violência, isso afeta diretamente o campo vibracional, afetando assim a vibração pessoal.

Se dentro do ventre essa influência já acontece, imagine aqui do lado de fora?!

Pense em quantas vezes sentiu-se desanimada(o) ou desestimulada(o) sem qualquer explicação aparente.

Essa resposta só a sua alma pode dar!

Do mesmo modo que o ciclo social pode afetar nossa vibração pessoal, lugares também têm suas vibrações e podem interferir no campo energético, causando ruídos na vibração pessoal caso não esteja ancorada e forte.

Uma casa pode nos dar arrepios sem nenhuma explicação, enquanto lugares completamente desconhecidos nos deixam seguros.

Lembre-se de que alimentar constantemente a alma e estar conectado com sua vibração pessoal fortalece o espírito e a confiança.

Quanto mais clareza da sua vibração pessoal você tiver, mais chance tem de fazer escolhas alinhadas com a sua alma.

Sua vibração pessoal, ao longo da vida, molda-se pelo seu sistema de crença, pelas vibrações dos seus pensamentos e sentimentos, pelo seu discurso e suas ações.

Desenvolvendo a sensibilidade e a conexão com a vibração pessoal, entendemos a raiz dos medos, tornando-os obstáculos superáveis.

Porém, ao estar desconectado da vibração pessoal, abre-se espaço para sentimentos de derrota e insegurança.

Autoconhecimento e conexão com a vibração pessoal o libertam!

Sua vibração pessoal é a sua verdade!

É preciso que seja honesto consigo mesma(o) e, principalmente, leal com a sua verdade, e escolha de forma clara que vibrações deseja emanar e quais vibrações deseja receber.

Essa escolha precisa ser exclusivamente sua!

Acumulamos durante a vida diversas desculpas e mecanismos para não enxergarmos um autoboicote e o retardamento da decisão de tomarmos o controle da nossa vida.

Geramos hábitos emocionais prejudiciais baseados no fugir, no desestimular, "fazer de conta que nada está acontecendo", hábitos que enfraquecem a vibração pessoal.

Novamente, essa escolha precisa ser exclusivamente sua!

Será que você é capaz de listar três hábitos prejudiciais que se tornaram constantes na sua vida?

Um dos meus hábitos é não querer gerar polêmicas, por isso, muitas vezes me calo.

Nos tempos da quarentena, ajudei a organizar uma lista no edifício onde moro, na qual cada família teria direito a trinta minutos para descer para o *play*.

O *play* é enorme, e justo no meu horário descia uma família que se recusava a entrar na lista – no caso, uma mãe com a sua filhinha, que nem um bom dia retribuía, mas eu pensava comigo: *ah, deixa pra lá...*

Um outro dia, desceu uma senhora para fumar no meu horário.

E os meus trinta minutos já estavam comprometidos, interferindo na minha vibração pessoal, pelo hábito prejudicial de não gerar polêmicas e, com isso, causar mal-estar.

Mas o mal-estar já estava instalado e só pioraria se eu não falasse de forma educada as regras que foram estipuladas para aquele momento.

O que você faz frequentemente? Quais são seus hábitos prejudiciais que você sabe que interferem na sua vibração pessoal?

O primeiro passo para uma grande decisão
é uma pequena decisão.

Como podemos fortalecer nossa vibração pessoal e passar a perceber de forma mais clara o mundo que nos cerca?

Agora que você entende a importância de cuidar da sua alma, cuidando da sua energia e dos diversos ruídos dos campos vibracionais que o cercam, vamos pensar em hábitos emocionais saudáveis para somar em sua vida:

- perdoe-se constantemente pelo ser humano que é, sujeito a erros e acertos. A autocrítica severa só o afasta da sua vibração pessoal;
- é também a partir do erro que você é capaz de aprender

quais são as necessidades da sua alma;

- palavras de derrota só alimentam a alma a confiar menos nas suas decisões, por isso, crie um novo hábito de autoelogio e admiração por suas tentativas;
- perceba as frequências de outras pessoas e lugares, colocando sua vibração pessoal em campos energéticos que possam somar na sua caminhada;
- abra-se para entender as necessidades do seu corpo e da sua alma, atenta(o) aos próprios sinais;
- não queira impressionar as outras pessoas; isso a(o) desconecta da sua vibração pessoal; simplesmente se encarregue de dar o melhor de si;
- entregue-se às experiências da vida, vivenciando as etapas de aprendizados e de alegrias com sua natureza energética;
- desenvolva sua sensibilidade para perceber os sinais que sua alma envia a você.

Hábitos emocionais negativos e destrutivos esgotam a energia para lutar e enfrentar medos e inseguranças.

O excesso de negatividade é exaustivo.

Exercite cuidar da sua vibração pessoal dando atenção aos pedidos da sua alma.

O resultado do desleixo é um sentimento destrutivo.

Ao render-se a esse tipo de pensamento, mergulharemos no fundo na nossa alma para identificar o que pode baixar a frequência vibracional. E só existe uma forma: prestar atenção nos sinais do corpo. O corpo fala, o corpo responde.

Nesse processo de identificar sinais, é comum sentir-se cansado, pois, quando o corpo fala, o padrão já se manifestou no físico.

Atenta(o) a sua sensibilidade, você começa a entender os sinais que a sua alma expressa por meio do corpo.

Acredite: seu corpo manda sinais o tempo todo, basta estar sensível para identificá-los.

Ao começar a ver-se como um ser vibracional, você também começa a ver os outros como seres vibracionais.

Essa nova visão lhe dá uma autonomia e um poder de escolha poderoso, você enxerga além.

Quando a sensibilidade está em constante desenvolvimento, a vibração pessoal pulsa em alta frequência, e do nada você recebe um elogio por ter algo especial, uma qualidade indescritível.

Essa "qualidade diferente" que as pessoas admiram é a sua verdade em brilho, e o brilho da verdade é a sua essência em potência, e não no medo. O medo não brilha, ofusca.

Em diversos momentos de nossa caminhada, encontramos pessoas que, de alguma maneira, nos encantam e fazem com que nossa atenção seja voltada a ela sem nenhuma explicação lógica.

Isso acontece quando as vibrações pessoais encontram-se e encaixam-se.

Pessoas com frequências semelhantes surgem de forma natural para somar no seu campo vibracional, despertando o desejo de estar próximo a elas, como um ímã espiritual.

As vibrações pessoais são fundidas.

Isso acontece quando entramos em um relacionamento.

Nosso campo energético é marcado pela vibração pessoal da outra pessoa, e nesse momento há um encontro dessas vibrações.

E cada vez que o amor vence o medo, e duas pessoas cuidam juntas de suas vibrações pessoais, essa fusão cria um campo vibracional de aconchego e paz.

Um outro exemplo curioso sobre fusão: é comum que donos de animais de estimação saibam exatamente o que o seu bichinho está querendo apenas olhando para ele por alguns segundos.

Já as pessoas que não estão habituadas àquele animal ficam perplexas e perguntam-se como o dono sabia exatamente o que o seu bichinho queria.

Essa resposta está na sensibilidade desenvolvida pelo dono do animal, sendo capaz de sentir o que o seu bichinho está sentindo.

Da mesma forma que os relacionamentos mudam, as vibrações pessoais também podem modificar-se, fazendo com que aconteçam rupturas, e aquela pessoa que até então parecia uma dádiva na sua vida se torna alguém de quem você não quer estar perto.

Situações e pessoas com vibrações que não combinam com a nossa não são castigos. Elas são colocadas em nossas vidas para ser um ensinamento e, assim, podermos enxergar em nós aspectos ainda não desenvolvidos.

Quando sua sensibilidade está atenta para perceber essa lição, é a alma dando-lhe avisos e sinais que, muitas vezes, não são lições diretas.

Acredite: hoje sua vida já foi bombardeada de sinais dados pela sua alma.

Você conseguiu percebê-los?

Como você pretende, a partir de agora, cuidar da sua vibração pessoal e fazer do seu campo vibracional um espaço de fortalecimento para sua alma?

Qual é a importância de desenvolver a sensibilidade?

Por que umas pessoas são mais sensíveis que outras?

Ficamos impressionados quando encontramos alguém que nos dá respostas imediatas confiando apenas na sua sensibilidade e sempre nos passa a sensação de que a resposta correta simplesmente chegou até ela.

O que essa pessoa tem de diferente?

A resposta é: a capacidade de intuição.

Todos temos os equipamentos energéticos necessários para sermos sensíveis ao mundo que nos cerca e conseguirmos ter a capacidade da intuição.

Assim como acreditar na vibração pessoal não é algo que a sociedade estimula, tampouco há estímulo para desenvolver a capacidade intuitiva e encontrar as respostas em nós mesmos.

Sendo seres mais sensíveis, somos capazes de reduzir o nosso ego e ampliar a nossa identidade, tornando-nos pessoas mais empáticas.

A empatia não está somente em sensibilizar-se com a dor ou o sentimento do outro, mas também em sentir a mesma sensação e compartilhar do sentimento da pessoa.

É quando desenvolvemos essa sensibilidade que percebemos em nós os mecanismos que podem nos transformar em pessoas melhores.

A sensibilidade nos traz informações sobre outros corpos, outras dores, outros sentimentos, outras tendências, outras épocas.

Nosso corpo está o tempo todo mandando sinais sensíveis, para que percebamos a nossa conexão com o mundo por meio da nossa intuição. Todos podemos desenvolver a sensibilidade removendo camadas de medo, insegurança e impedimentos.

Acione o botão "ligar" da sua sensibilidade, sem medo, acione o modo "ON".

Seu corpo registra informações na sua vibração pessoal sobre pessoas, ambientes e lugares.

O que o impede hoje de ser mais sensível? Medo, talvez? Medo do quê?

Flávia, 35 anos, estava muito contente e muito empolgada com a compra do seu apartamento.

Foram anos de dedicação aos estudos, ao trabalho, e de restrições que precisou fazer para conseguir um financiamento e definitivamente conquistar sua independência.

Logo após uma pequena obra, Flávia mudou-se, e a jovem fisioterapeuta viu sua saúde desabar.

Acostumada a atender diversos pacientes por dia, ela logo se preocupou com os sintomas que não davam trégua.

Fez diversos exames, consultou pelo menos uma dúzia de médicos, mas nenhum deles era capaz de indicar os motivos que levavam Flávia a sentir-se tão fraca.

Afastada do trabalho, ela resolveu tirar férias e foi passar duas semanas na casa dos pais; sua alma pedia cuidado e aconchego.

Nessas duas semanas, a jovem melhorou, viu-se mais energizada, e estava empolgada para voltar à sua casa e para sua rotina.

Entrando em casa, a fisioterapeuta sentiu novamente seu corpo enfraquecer e desabar.

Flávia considerou tratamentos com remédios psiquiátricos, temendo que a solidão a deixasse assim. Foi atrás de médicos que traziam tratamentos internacionais para imunidade e, depois de uma conversa com uma amiga que já tinha passado por uma situação parecida, resolveu me procurar para encontrar a saída do seu labirinto.

Após algum tempo de conversa e depois de entender o que estava acontecendo, falamos sobre o poder que o campo energético dos espaços tem sobre nossas vidas, e sugeri que Flávia fizesse contato com sua sensibilidade e intuição e com o apartamento que tinha comprado recentemente.

Ela tinha medo.

Desenvolver a intuição, no seu sistema de crença, correspondia a espiritismo e almas penadas, e ela não suportava essa ideia.

Expliquei para Flávia que, quando eu era criança, também achava que espiritualidade tinha a ver com espíritos que poderiam aparecer, almas penadas como as que aparecem nos filmes, mas que isso, na verdade, era um tabu, e precisávamos quebrar isso.

"Espiritualidade é a sua intimidade, é autoconhecimento dos seus sentimentos e pensamentos."

Desenvolver a sensibilidade não tem a ver com um santo que vai baixar e você vai começar a ver coisas do além.

Sua sensibilidade e sua intuição vão apontar sua cura.

E Flávia começou a verbalizar o seu mantra:

– Escuta, Flávia, você realmente é digna de fé e de liberdade.

– Não quero saber o que aconteceu aqui antes de me mudar! Foi muito sacrifício para conseguir comprar esse apartamento!

– Pronto, seu medo apontou a solução – eu disse para Flávia. – Vamos investigar juntas!

O porteiro contou que havia acontecido um falecimento repentino do ex-morador.

Flávia foi capaz de perceber a influência que o campo físico pode ter na sua vida e, principalmente, reconhecer um medo latente da sua infância quando viu um filme de terror que lhe gerou um trauma.

Fizemos algumas curas aplicando letras quânticas do alfabeto hebraico, para remoção da memória ali existente e de um padrão de falência.

Mas, para acalmar sua alma, um padre de sua confiança foi benzer o apartamento.

A partir desse episódio, Flávia agradeceu e honrou todo o acontecimento que, mais cedo ou mais tarde, teria que ser tratado.

Quantas decisões você deixou de tomar, ou adiou, por não querer deparar-se com o incômodo que o amedronta?

O bem-estar pleno requer esses confrontos.

Pessoas que pensam demais tornam a vida muito racional e tendem a fechar seus canais sensoriais. Vamos levar luz para determinados comportamentos que bloqueiam a sensibilidade e a intuição:

- coloque a mão no coração e diga: "Eu me abro para sentir e assim me alinho às respostas vindas da minha frequência pessoal";
- desenvolvendo "o sentir", as respostas chegam;
- os seus sentimentos são quem você é, não resista nem tente controlá-los, renda-se;
- precisamos controlar nossas atitudes.

Furacão energético

Somos seres vibrantes vivendo em um mundo cheio de vibrações e influências energéticas, que interferem diretamente na vibração pessoal de cada um.

Todas as coisas físicas e não físicas que nos rodeiam emanam vibrações e frequências que atuam na nossa sensibilidade.

Sobre a existência material, podemos pensar nas ondas vibracionais advindas dos celulares, dos micro-ondas, televisores, rádios e satélites, todas elas coexistindo com as nossas vibrações pessoais, além das advindas de pessoas, situações e lugares.

Essas ondas e frequências são calculadas em hertz e, dessa forma, comparadas com a que emanamos de nossos próprios campos energéticos.

Royal Raymond Rife foi um importante cientista da área que se dedicou a analisar as frequências naturais de vários agentes que causam danos à saúde e também frequências que curam doenças.

Sua pesquisa ajudou a descobrir que até mesmo células cancerosas, vírus e bactérias têm a sua própria frequência.

A própria Terra emana de si uma frequência que, de acordo com estudiosos, é também a mesma frequência do homem.

Esses dados são comprovados a partir de pesquisas realizadas com astronautas que, ao saírem do contato com a Terra, veem-se doentes e afetados pela falta da frequência advinda do planeta.

A partir dos anos 1990, foi verificado que a frequência emanada pela Terra saiu de 7,83 hertz para 13 hertz, como se o coração do nosso planeta estivesse acelerando.

Nós, seres sensíveis e sintonizados diretamente com essas frequências emanadas pela Terra, nos tornamos pessoas mais ansiosas, aceleradas e mais intolerantes com o outro e conosco.

Esses estudos comprovam como a nossa frequência pessoal é afetada pelas vibrações que nos cercam e podem modificar nossa forma de viver.

Agora pare e reflita: como você se sente ao ouvir uma música?

Uma forma incrível de sintonizar e fortalecer as nossas vibrações pessoais é treinando o alinhamento desse conhecimento com a música e os sons.

Quantas vezes, ao ouvir apenas uma nota ou um trecho de alguma música, você viu seu corpo arrepiar-se e conseguir sentir até mesmo cheiros e ativar memórias de momentos vividos?

Isso acontece graças à ressonância.

Todos os objetos contêm uma frequência natural de vibração; é o que chamamos de frequência de ressonância.

Portanto, ao ouvir essa única nota, ou uma música inteira, uma voz, a vibração desse som (desse objeto) faz com que o segundo objeto (seu corpo) comece a vibrar.

Ao utilizar-se do som para ressoar nas ondas do cérebro, é possível alterar os estados de espírito especiais que auxiliam, por exemplo, na meditação, mas também contribuem para a cura da insônia, além de trazer diversos benefícios.

Os sons e suas frequências têm impacto direto sobre a vida e os estados psicológicos, influenciando diretamente o cérebro.

A sincronização de ondas é fortemente usada nesses estudos usando sons para alcançar estados de relaxamento e concentração; essas ondas são chamadas de frequências orgânicas.

Usando fones de ouvido para emanar sons distintos em cada ouvido, um computador ou sintetizador estimula o cérebro a produzir em si um tom de hertz para alcançar as ondas necessárias.

Por exemplo, ao usar um tom de 400 hertz em um ouvido e o de 404 hertz no outro, o cérebro imagina ouvir o terceiro som, de 4 hertz. Esse é um estímulo para alcançar ondas de vibração de relaxamento.

Pessoas interessadas em meditação ou diminuição de estresse encontrarão nessa ciência um alívio para seus problemas, melhorando o foco e a cognição.

As músicas são grandes auxiliadoras nessa sincronização de ondas.

E fica claro reconhecer os diferentes tipos de sentimentos que diferentes músicas podem trazer.

Não procuramos calmaria ouvindo uma música de *rock* pesado.

Assim como os músicos precisam afinar um instrumento, nosso cérebro produz paisagens sonoras ricas em vibrações e frequências, induzindo ondas cerebrais que são capazes de mudar nosso estado mental e emocional.

O uso da música é uma ferramenta terapêutica eficaz.

Infinitos estudos já comprovaram que pessoas que sofrem de déficits de atenção, estresse, dores de cabeça e outros transtornos notaram melhoras usando frequências orgânicas ligadas ao uso de sons.

Para nos beneficiarmos desse mecanismo, temos que entender de forma mínima o funcionamento das ondas cerebrais.

Elas mudam de acordo com as nossas atividades e estão diretamente ligadas às formas como alimentamos nossa vibração pessoal.

Quando o cérebro está em estado consciente, ele funciona em uma faixa de 20 hertz a 200 hertz.

Dentro dessas frequências, existem cinco estados de ondas cerebrais:

- **Alfa**: as ondas produzidas por alguém que está nesse estado estão entre 8 hertz e 13 hertz (essas medidas não são exatas, têm a finalidade de trazer um entendimento científico e variam de acordo com os estudos);
- O estado alfa é constantemente usado para reflexão, contemplação, visualização e resolução de problemas. É normalmente associado à porta de entrada para o inconsciente, estado em que nos encontramos quando meditamos ou praticamos ioga. Um dos maiores benefícios de alcançar as ondas alfa é acalmar a mente de quem está muito nervoso, ansioso, tenso e estressado. É a frequência de quando conseguirmos desacelerar a mente;
- **Beta**: essas ondas cerebrais estão funcionando entre 20 hertz até 25 hertz, encontrando-se em estado elevado de alerta ou quando estamos envolvidos em um processo de aprendizado. Quando estamos inertes em um livro, por exemplo, vibramos em ondas beta;
- **Gamma**: no estado gamma, nossas ondas cerebrais estão funcionando em mais de 40 hertz, ocorrendo alta atividade mental e o processamento de informações em alta frequência;
- **Delta**: ondas que funcionam de 0,5 hertz a 3 hertz. O cérebro funciona nesse estado quando estamos em sono pesado ou em nível mais profundo de relaxamento do corpo e da mente. São as formas mais lentas de processamento mental;
- **Theta**: nesse estado, o cérebro está funcionando com ondas de 3 hertz a 8 hertz. Estamos em profundo relaxamento e meditação. É quando produzimos movimentos mais lentos e serotonina, hormônio que aumenta o relaxamento, aliviando a dor física e emocional e ativando o potencial de criação.

Espero ter trazido de forma simples um conhecimento científico para clarear esse entendimento sobre vibrações e frequências.

Existem vários aplicativos e programas disponíveis que oferecem opções de diversos sons que inspiram meditação e ondas de relaxamento.

Faça você mesmo o teste. Experimente!

Se esse assunto despertou sua curiosidade, busque aprofundar-se no estudo dos sons curativos e como essas frequências podem alterar as vibrações pessoais.

Agora, voltamos ao nosso maior interesse deste capítulo, que é o entendimento da importância de ser uma pessoa sensível e desenvolver a intuição para perceber essas vibrações advindas do universo, com o objetivo de exercitar o ajuste da sua vibração pessoal.

Os ruídos e as inquietações são aliados para voltarmos a atenção para o campo sutil quando a vibração pessoal não toca na sintonia fina.

E sintonizado sua vibração pessoal, sua intuição se encarrega das respostas mais alinhadas com a sua verdade.

Todos somos seres vibracionais, intuitivos e sensíveis, e é natural tentar controlar, faz parte do mecanismo do medo.

Capítulo 5

Intuição

Use seu canal intuitivo a seu favor

Resolvi enfatizar esse assunto, dar a sua devida importância! Por isso, um breve capítulo dedicado só ao entendimento da **intuição**.

Todos somos seres naturalmente intuitivos, mas aprendemos, com as nossas defesas, a fechar esses canais naturais, e assim deixamos de desenvolver e exercitar nossa conexão com a nossa vibração pessoal. Os homens, principalmente, foram treinados culturalmente para desconsiderar qualquer coisa que não tenha a ver com realizações tangíveis.

Devemos perceber a intuição como um canal de *feed* contínuo que transmite as informações de tudo que está acontecendo.

A intuição é que nos capacita a sentir e receber as vibrações que afetam diretamente nossos pensamentos responsáveis pelo comportamento.

Esse canal só será sintonizado quando nos mantivermos **abertos** e sem **medos**.

A intuição é um sopro, é a sua conexão direta com o divino. Esse sopro é diferente da voz da mente. A voz da mente apresenta-se como negociação, dúvidas e perguntas: controle.

Já o sopro da intuição chega até você.

Seu fluxo energético interno encarrega-se rapidamente de levar a sua intuição para a sua mente, e no momento em que chega lá, os questionamentos já começam a ser autoanalisados.

Intuição é o sopro antes de virar análise.

"Isso não vai funcionar para mim", "Eu não posso fazer isso" e "Eu não sou bom nisso".

Preocupação. A preocupação é uma das maneiras favoritas de a mente tentar controlar as coisas. É uma maneira de adivinhar tudo, em vez de confiar em sua intuição e deixar as coisas acontecerem naturalmente.

Mas sem a sua mente, como você pode traduzir o que intui em algo compreensível?

Você precisa preencher a lacuna entre o mundo "visto" e o "invisível", e sua imaginação é essa ponte. Quanto mais flexível e livre for sua capacidade de imaginar, mais facilmente esse sopro poderá comunicar-se com você.

Independentemente da sua religião, é por meio deste canal que nos sentimos próximos e conectados às energias divinas que guiam e acalmam nossa alma.

Aprender a canalizar sua intuição é manter aberto o caminho para ouvir, sentir e ver sua conexão com D'us.

Esse canal sempre o levará além da matéria, trazendo para a realidade vibracional a verdade da vida infinita de possibilidades.

É mantendo o canal intuitivo aberto e canalizado com a vibração pessoal que tornamos possível o amadurecimento emocional, mental e espiritual.

E daí vem a capacidade de tomar decisões e atuar de forma assertiva e clara, tornando-se um protagonista proativo!

Ao bloquear a sensibilidade, cria-se uma obstrução na autoconfiança, perdendo as orientações internas que são sua orientação mais precisa.

Para ter certeza e convicção sobre isso, é preciso **confiar**. A desconfiança em si cria barreiras e cascas grossas na sua autopercepção e na presença de D'us na vida.

Exercite a sua intuição. Medite para isso.

E agora? Você se sente mais aberto?

O que tem feito para que seu canal com o divino esteja aberto, sensível, canalizando a sua intuição?

Sem autojulgamento punitivo, acolha-se e recomece agora, estabelecendo um pacto consigo mesma(o): por quatro minutos diários, de preferência pela manhã, faça uma meditação guiada ou simplesmente sente-se e preste atenção na sua respiração.

Cronômetro pronto?

Sustente sua disciplina e colherá os benefícios plantados. Ninguém pode fazer isso por você!

Você trabalha de forma mais eficaz com menos esforço.

Aprofunda-se em si mesmo para saber o que é melhor.

Desenvolve um senso interno sobre o que as outras pessoas precisam de você.

Torna-se mais criativa(o), inovadora(dor) e inventiva(o), não importa qual seja o seu campo, porque a utilização da sua intuição dará um impulso à sua criatividade.

Tornar-se mais intuitiva(o) não significa apenas obter uma vantagem no sucesso material.

O mais importante é a diferença que ocorre dentro de você.

E para a vida ficar mais leve, nosso próximo assunto a(o) ajudará a entender e a render-se ao "*fluxo*".

Capítulo 6

O “*fluxo*”

Render-se ao *"fluxo"* é como se fosse uma gota de orvalho caindo da folha de uma árvore em um rio, juntando-se às águas em movimento.

Essa gota perde sua identidade para ganhar uma força e uma nova forma.

Se essa gota de orvalho pensasse, estaria analisando o conhecido e o desconhecido antes de cair, permanecer estática ou deixar-se ir para novas dimensões a serem descobertas, ultrapassando o ponto do qual não há volta, significando a libertação!

Todos procuramos incessantemente a felicidade. Líderes governamentais a prometem ao seu povo para ganhar popularidade, prometemos a quem amamos e assim corremos atrás dela constantemente.

Queremos ter o controle da felicidade.

Achamos que sabemos o que nos faz feliz e desejamos de forma muito consistente os nossos pedidos, convictos de que eles nos encaminharão para a felicidade.

Como já conversamos, tentar ter o controle de tudo que nos cerca, inclusive da felicidade, é uma porta aberta para o medo.

Não conseguimos controlar tudo que nos cerca, é humanamente impossível, então só nos resta confiar no *"fluxo"*.

Vamos falar um pouco sobre metafísica, mas, acredite, esse caminho fará com que você entenda qual é a sua participação nessa coexistência da vida material e energética.

Nós existimos muito antes de nascer.

Antes que estivéssemos vivendo nesse corpo físico, em que tocamos em coisas materiais e enxergamos com o sentido da visão, já existíamos como um ser de energia.

O corpo físico é feito de células; o corpo metafísico é feito de ondas vibracionais e vive a sua realidade no que chamo de "*fluxo*".

O relacionamento entre o corpo físico e o corpo vibracional é a relação mais importante para o seu **ser**, e devemos lhe dar muita atenção.

Se estamos em um mau relacionamento físico/vibracional, atraímos para a vida situações desafiadoras e nos tornamos resistentes e rígidos ao "*fluxo*".

Todo relacionamento de vida, com pessoas, animais, natureza, é um reflexo da relação com os próprios sentimentos, medos e frustrações.

O "*fluxo*" é uma inteligência, podendo ser comparado à expressão *Tov* em hebraico ("bom" ou "boa"), que vai muito além de uma coisa boa: é a expressão, a sensação de uma sincronicidade e de uma perfeição absoluta.

Usando uma figura de imagem, imagine que o seu **eu** vibracional vive em uma nuvem; essa nuvem é o "*fluxo*".

Dentro dessa nuvem estão todos os seus pedidos e desejos feitos pelo **eu** físico.

Digamos que você queira comprar um novo carro, ou queira emagrecer.

O seu **eu** físico tem esse desejo e espera que essa seja a resposta para sua felicidade.

Esse desejo vai até a nuvem, e o seu **eu** vibracional já está vivendo esse desejo.

Então, qual é o motivo de os nossos pedidos não se realizarem no tempo que queremos?

A resposta está nas vibrações emanadas do seu **eu** físico para o seu **eu** vibracional.

Os pensamentos e sentimentos crônicos de medo, escassez, inveja, culpa, vergonha etc. criam um bloqueio das ondas advindas do "*fluxo*".

Nesse momento, entramos em contradição com o que foi colocado no fluxo energético.

Sem falar da distração ao desejar ou comparar com o que outras pessoas têm ou "são", perdendo o foco que deveria estar ajustado nas suas próprias vibrações.

E a partir disso acreditam que não alcançam determinado objetivo ou não têm seus desejos realizados por culpa dos outros, mas não é sobre isso.

É sobre os bloqueios criados por você mesmo na constante comunicação entre o seu **eu** físico e o seu **eu** vibracional.

Tudo que foi desejado por você durante a vida já está no seu **eu** vibracional, tudo que desejou já é seu.

Tudo que o **eu** físico precisa fazer é acreditar nisso, preparar-se, agir de forma proativa e esperar que o desejo seja transformado em matéria.

Então, o **eu** vibracional é o nosso destino?

Quando pensamos na ideia de destino, temos em nós o aspecto da não decisão. Platão, filósofo grego, definiu o destino como algo desenhado pelos deuses às pessoas, sem que elas possam ter poder de escolha sobre ele.

Quando pensamos nos estudos da metafísica sobre os quais estamos nos debruçando, a ideia de que você não tem escolha se torna algo incorreto e contraditório.

Temos, sim, o livre-arbítrio, o poder de escolher e colocar no nosso **eu** vibracional exatamente o que queremos e o que desejamos. Só que a grande dificuldade está em desfazer os bloqueios energéticos para que esses desejos se tornem realidade. Temos, sim, o poder de mudar a nossa história, desde que tiremos os bloqueios vibracionais entre o **eu** físico e o **eu** vibracional.

Quando estamos tomados e dominados pelos medos, vibramos ondas de insegurança que traduzem nossas vibrações como bloqueios.

Os medos são bloqueios.

Essa definição é muito importante antes de darmos continuidade.

O medo pode ser semelhante ao temor, porém, o temor é algo que aponta um limite, é parte essencial do nosso mecanismo instintivo de defesa e também de poder de escolha, é um critério de precaução.

"Não vou entrar no mar hoje porque tem ondas de três metros de altura."

Perceba a diferença do temor e de um medo oriundo da sua imaginação bloqueadora das suas potências.

Conhecimento e treino para alinhar essas vibrações do seu **eu** vibracional com as de seu **eu** físico, e principalmente desbloqueio dos seus medos e frustrações. Em breve, você começará a usar o seu mantra pessoal.

Carlos, aos 26 anos, formado em engenharia, viu sua vida profissional alcançar patamares nunca antes imaginados. De jovem estagiário passou a frequentar reuniões de trabalho com pessoas de grande importância para sua empresa, e a ter seu trabalho valorizado.

Ao tomar um grande passo financeiro, Carlos viu-se encurralado. Prestes a comprar um apartamento que lhe traria o conforto de morar próximo ao escritório, percebeu que teria de se arriscar financeiramente, colocando quase todas as economias naquela propriedade.

Nesse momento, dois sentimentos tomaram conta dele: medo e insegurança. Apesar de já estar desejando muito aquele apartamento, não sabia se aquele seria o melhor momento para investir.

Ao questionar amigos e parentes, todas as respostas recebidas foram "não". Carlos começou a duvidar da sua capacidade e dar passos para trás na negociação da compra.

Ao debruçar-se sobre os estudos da metafísica, Carlos conheceu o "*fluxo*". Nesse momento, começou a questionar-se que tipos de história estava contando ao seu interior e que energia estava disparando ao seu "*fluxo*".

De tanto ouvir que não conseguiria, Carlos acreditou naquela narrativa e tomou como verdade que não seria capaz de comprar. O seu desejo já estava feito, o apartamento já estava em seu "*fluxo*" e já era de propriedade do seu **eu** não físico.

Mas de tanto contar a si histórias de derrota e de descrença, seu **eu** físico criou bloqueios de ondas energéticas do seu "*fluxo*", fazendo com que se tornassem verdades as histórias contadas e que o seu desejo não se realizasse.

Somente depois de perceber em si as ondas que estava vibrando é que Carlos pôde perceber que seu desejo estava muito mais perto de ser realizado do que ele esperava. Ele precisava confiar em si e no poder do seu "*fluxo*" para fazer com que seu desejo se tornasse realidade.

Quantas vezes criamos em nós bloqueios energéticos a partir do que ouvimos das outras pessoas, fazendo, assim, com que nosso "*fluxo*" não consiga devolver a nós os nossos desejos?

Tudo que temos no nosso mundo físico foi antes criado e desejado no nosso "*fluxo*". Antes de algo se materializar, foi construído e feito na nossa fonte de energia junto ao nosso **eu** metafísico e transportado a nós através de ondas.

É preciso que estejamos sem bloqueios para receber essas ondas e acreditar no poder do nosso "*fluxo*".

Quando não aprendemos sobre nosso próprio "*fluxo*" e não confiamos nele, sentimos medo por não sabermos se estamos tomando a direção correta ou não para que nosso desejo se realize.

Você precisa ter em mente que o "caminho certo" para fazer com que seu desejo se realize é emanar de si vibrações positivas e de confiança. Elas farão com que seu desejo seja enviado como um foguete do seu **eu** metafísico para o seu **eu** físico.

Você está no seu "*fluxo*"?

O problema de não confiarmos no nosso "fluxo" e no poder de atração que nossa vibração pode ter com o nosso **eu** metafísico é não perceber o tipo de pedido que estamos mandando, as ondas que estamos emanando ao nosso "*fluxo*".

Lembre-se: tudo que você deseja, sendo bom ou ruim, vira onda vibracional e é enviado como um foguete para seu **eu** não físico e, consequentemente, é adicionado ao seu "*fluxo*".

O que você tem desejado durante sua vida?

Digamos que em uma noite você brigue com seu marido e receba dele uma reação pouco comum: ele grita com você.

Isso pode fazer com que você passe a duvidar do amor dele e do elo que une o casal. A partir desse momento, estando sozinha com seu **eu** físico e o seu **eu** metafísico, qual é o tipo de consciência e ondas que você enviaria ao seu "*fluxo*"?

Se você começasse a disparar foguetes ao seu "*fluxo*" pedindo que a vida lhe mostre alguém que o ame e lhe ofereça respeito, você não está no seu "*fluxo*".

Se ao invés disso, lembrar-se do sentimento que uniu vocês dois, que fez com que o casamento acontecesse, e liberar de si ondas vibracionais positivas, você está no seu "*fluxo*".

A chave para estar alinhada(o) ao seu fluxo vibracional é experimentar a completa ausência de resistência e alcançar o total alinhamento entre o seu **eu** físico e o seu **eu** metafísico. É preciso que você identifique o tipo de onda que tem emanado ao seu "*fluxo*" e se tem criado resistência para receber o que é enviado dele para você.

Muitas das vezes, nossos pedidos não são alcançados por estarmos olhando o que os outros atingem ou alcançam. Colocamos nossas vibrações pessoais em desejos de comparação, nos quais o que você deseja não é verdadeiramente o que o faz feliz, mas o que o faz imaginar ser melhor que o outro.

Esteja sempre em estado de apreciação.

Toda emoção que sentimos nesse plano da matéria é reflexo de como estamos alinhados com o nosso campo energético, ou seja, com o nosso "*fluxo*".

Não adianta estarmos interessados em começar um relacionamento com outras pessoas quando não estamos nos relacionando bem com o nosso **eu** superior.

Quando estamos nos sentindo confiantes, significa um alinhamento com a fonte energética dentro de você, dentro do seu "*fluxo*". Quando apresentamos insegurança, medo ou vergonha, é porque não estamos em uma combinação integral com o nosso "*fluxo*".

Muitas vezes, tornamo-nos pessoas amargas e inseguras por acreditarmos que determinada vitória precisa vir até nós. Acreditamos e queremos que a vida atenda os nossos pedidos na hora que queremos, ignorando o fato de que esse mundo físico é somente uma resposta do mundo vibracional que nos cerca.

Por vezes desejamos tanto uma coisa e queremos que ela aconteça no momento em que desejamos. Mas o caminho da metafísica para o físico não é tão rápido e não depende somente da nossa vontade.

Se estamos desejando isso por inveja de alguém, estamos automaticamente indo para o caminho contrário do nosso "*fluxo*", procurando respostas e desejos onde não há vibrações de ondas positivas.

Podemos estar criando resistências energéticas que só fazem com que os nossos desejos não se tornem realidade no nosso mundo físico.

Andréa assistia a um programa de decoração na televisão de forma sistemática, até que um dia viu a oportunidade perfeita de ver a sua casa participar desse *show*. Em um dos episódios, a dupla de apresentadores mostrou ao seu público uma promoção cujo prêmio ofereceria uma obra completa no quintal da casa do vencedor no valor de R$ 10.000,00.

Muito animada e confiando muito no seu pensamento positivo, ela se inscreveu e desejou muito essa reforma. Andréa, na sua cabeça, estava colocando toda a sua vibração na vitória da promoção, pois queria que seu quintal passasse por uma reforma.

Confiando que seu *"fluxo"* enviaria a ela as ondas necessárias para isso, Andréa já começou a procurar em revistas modelos de possíveis obras. Depois de encantar-se com um modelo perfeito para os seus sonhos, não conseguia pensar em outra coisa. Mesmo com a obra ficando muito acima do valor oferecido pelo programa de televisão, ela tinha fé de que venceria o concurso.

Para ela, aquilo seria o segredo da sua felicidade.

Chegando o dia do resultado da promoção, Andréa viu toda a sua esperança ir por água abaixo: não foi premiada. Muito desanimada e desacreditada da sua fé, não entendeu o motivo de seu desejo não ter sido atendido, mas tentou entender os caminhos da sua fé.

Na mesma semana, recebeu uma incrível novidade no trabalho: não só foi promovida, como também recebeu uma parcela dos lucros da empresa referentes ao ano anterior como bonificação pelo trabalho exercido até ali. O valor era exatamente o que precisava para fazer a obra no seu quintal e deixá-lo exatamente como o modelo que tinha visto na revista.

Andréa fez a obra na sua casa e deixou exatamente como tinha desejado, por um valor muito acima do oferecido pelo prêmio televisivo. Foi nesse momento que percebeu que tinha sido atendida. O seu pedido enviado em forma de torpedo para seu *"fluxo"* era de que tivesse o quintal dos seus sonhos, e ele foi atendido quando ela, mesmo depois de não vencer o concurso, permaneceu com seu consciente vibracional pronto para receber as ondas enviadas pelo seu eu metafísico.

O pedido de Andréa foi atendido. Não da forma como ela primeiramente esperava, ou não no momento em que ela queria, mas na hora em que ela deixou seus bloqueios vibracionais baixos para que as vibrações energéticas enviadas do seu "*fluxo*" se materializassem no seu mundo físico.

Muitas vezes nos colocamos no lugar de Andréa.

Desejamos muito alguma coisa, ou colocamos nesse desejo o poder de decidir a nossa felicidade, mas, quando ele não se realiza na hora e da forma que queremos, construímos muros energéticos, bloqueando qualquer onda enviada pelo "*fluxo*".

O medo de não termos o nosso desejo atendido faz com que a gente perca a conexão com o nosso "*fluxo*". Fazemos com que as ondas enviadas por nós pela decepção sejam a tesoura que corta nossa ligação com o nosso **eu** metafísico.

Não percebemos como podemos ser os responsáveis por bloquearmos as entradas dessas energias e das vibrações positivas quando passamos a emanar as vibrações negativas.

Acredite: seu desejo já está no seu "*fluxo*", ele já é seu. Não tenha medo.

Você é o cocriador do seu "fluxo"!

Cada pedido feito por você ou desejo feito de maneira consciente ou inconsciente já é uma realidade no seu "*fluxo*". Ele já é seu.

Todo o dinheiro que você pediu ou sucesso que desejou já

são reais. Cabe a você, aqui no seu plano físico e material, ser o cocriador da sua história e elevar sua consciência para um grau de libertação.

Quando acreditamos e confiamos no nosso "*fluxo*", enviando vibrações positivas em forma de ondas, recebemos os nossos pedidos e vemos como eles se tornarão realidade.

Toda a nossa vida está cercada pela física e pela metafísica. Como você tem feito para liberar as ondas necessárias para receber as respostas e os pedidos desejados?

Não tenha medo do seu fluxo.

Quando passamos a confiar nele, fazemos pedidos positivos, baseados em escolhas que são feitas para a nossa felicidade, e, estando com baixos bloqueios energéticos, recebemos do nosso "*fluxo*" o reflexo disso.

Tudo na nossa vida é onda de vibração.

Cabe a nós decidir qual tipo de onda estamos emanando e de que forma estamos alimentando o nosso "*fluxo*" para recebermos os desejos que tanto pedimos.

O "*fluxo*" permite que você renuncie à luta, que não seja mais aquela pessoa que está interessada em estar por cima, mostrar desempenho, provar ao mundo o quão especial é, e se sinta semelhante à gota de orvalho que, quando cai, funde-se ao rio, que se tornou parte da infinidade, misturou-se e tornou-se uma coisa só com o oceano e agora é uma onda em pura fluidez.

Capítulo 7

Criando seu mantra de poder

Se conseguir aceitar o fato de que toda hora você tem um pensamento e uma fala interna, você está no processo para transformar seus medos em potências.

É como um computador. Se tiver um computador superpotente na sua frente e você não souber o que fazer, ele equivale a quase nada. Mas se aprender a mexer nesse computador, milagres acontecerão.

E como nossas vidas seriam diferentes se interrompêssemos os pensamentos nocivos e simplesmente escolhêssemos em nossas vidas o que nos nutre e faz bem a cada momento, a cada dia, como relacionamento, abundância, carreira, nossa paz, como seria nossa família e nossas vidas se fizéssemos isso? Agora, como é que você pode dar a volta?

Comece pensando de modo diferente.

Vamos experimentar a narrativa abaixo.

O que isso significa exatamente?

Que por todas as cabeças pensantes deste mundo fluem pensamentos dessa natureza. Ao contemplá-los como um observador externo, não julgue, muito menos se identifique com um. Simplesmente leia e observe; por incrível que pareça, isso acontece com 100% dos seres humanos.

Vamos lá! Respire fundo e siga!

"Como sou idiota. Sempre faço isso. Por que eu pego a Avenida Brasil? Meu Deus, estou tão atrasada. Não aguento mais chegar atrasada. Acho que eu devia sair daqui. É claro que ninguém vai me dar passagem, não é? Não, é claro que não. Estou sempre concordando com as pessoas, devia parar com isso. Mas faço isso o tempo todo, com tudo. É por isso que eu me atraso."

"Nossa, estou parecendo um zumbi! Estou tão pálida! Eu não devia estar com essa aparência. Mas estou sempre tão cansada... Por que estou tão cansada? Eu devia ir a algum lugar tirar umas férias. Ai, meu Deus, é ele. Espero que ele não me veja, estou horrível! Tomara que ele não venha até aqui. O que estou fazendo? Não importa se me vir, ele não liga para mim mesmo."

"Por que estou com essa barriga? Preciso parar de tomar vinho com queijo. Eu como igual a um porco. Não vou almoçar hoje. Só vou tomar água. Mas e se a Maria trouxer bolo de novo? Ai, meu Deus, não vou comer bolo. Não vou comer bolo! Não! Eu amo bolo..."

"É câncer! Eu sei que é. Foi assim com meu pai, com a minha tia..."

"Não consigo mudar, nunca vou me sentir plena, não vivo como quero, não consigo me sentir descansada, não sou feliz, não paro de perder as coisas, não consigo mudar, não consigo. E agora já estou velha para mudar minha vida. É isso. Estou velha, preguiçosa. Devia ter tentado ser positiva há alguns anos."

"Se não fosse pela minha mãe, eu teria muita chance. Eu não tinha ninguém para me mostrar como ser. Quero mudar. Preciso mudar! Quero me libertar dos padrões antigos e crenças negativas. Eu consigo, eu consigo fazer!

Tudo bem, eu consigo. Eu consigo. Consigo mudar. Consigo fazer da minha vida algo melhor. Estou com medo, mas quero mudar, eu quero. Vou insistir nisso e vou tentar. E não, não. Vou pensar de maneira positiva.

– Como eu sou feliz!

– Eu sou feliz!

– Nossa! Não vai ser fácil.

Bom, está tudo bem. Eu tenho poder. Nada vai me deter. Sou saudável e respiro, e o ar está muito bom. E estou aceitando que sou parte do Universo. E ele me dá o que eu peço. Tá bom, viajei. Mas tudo bem. Foi uma viagem positiva."

"Eu sei como tenho medo, mas sou assim mesmo. Não sei como sair disso."

"Estou me sentindo tão bem essa manhã. Eu amo morar nessa cidade! Ah, o Eduardo?! Foi tão gostoso passar o final de semana com ele. As pessoas felizes são tão irritantes..."

"As coisas não eram tão ruins antes. Não havia nada de errado comigo. Eu estou bem, estou bem como sou. Estava tudo ótimo do jeito que estava e agora estou aqui. Eu devia ter ficado como estava. Está tudo confuso e bagunçado. Eu devia voltar. Não tenho tempo para isso, tenho tanta coisa para fazer. Volto depois, faço isso depois, tenho meu trabalho, tenho coisas importantes. Eu tenho que ir."

"E se eu perder os meus amigos e minha família quando eles descobrirem que faço um 'mantra maluco'? As pessoas vão achar que enlouqueci. Vão descobrir que estou envolvido com alguma coisa estranha de alguma seita e vão rir de mim. Isso não está certo. Não, não parece certo. Onde eu estou? O que tem de errado comigo? Será que estou fazendo certo? Estou fazendo o trabalho interno. Onde está a recompensa? Eu faço os pensamentos positivos, estou sendo específico e não estou indo para a frente. Ótimo. Talvez eu não vá para a frente mesmo. Vou me sentar aqui e não vou a lugar nenhum. Como seria isso?"

Ufa...

Deu até um cansaço ser um observador desses pensamentos, não é mesmo?!

Agora, fale em voz alta: "O poder que me criou me deu o poder de criar minha nova vida. Eu escolho pensamentos positivos e realizadores. Eu me renovo aqui e agora!".

Estamos todos em um processo de evolução, mesmo sabendo disso ou não. Estamos todos em uma jornada para aprender a expressar todo o nosso potencial neste mundo. A maioria vê o pensamento como um reflexo do mundo exterior, um reflexo do que está acontecendo. Mas e se não for assim que o Universo trabalha? E se cada pensamento tivesse o poder de criar o presente e o futuro?

E se você criar cada passo da sua vida com os pensamentos que tiver agora? Se mudar o modo de pensamento, possibilidades maravilhosas começarão a ser reveladas e sua vida mudará para uma nova direção. E tudo começa dando o primeiro passo.

Todo pensamento que temos e toda palavra que dizemos criam a nossa realidade. É como se nossos pensamentos entrassem no Universo, fossem aceitos e depois voltassem para nós como experiência.

Você se torna o que está pensando, querendo ou não.

O pensamento que você tem está vibrando na natureza e, portanto, é atrativo nela. Então, quando se deseja muito essa mudança do que você determina ser negativo para o positivo, é preciso mudar seu ponto de atração. Nada é mais importante de se entender do que isso.

E se você fizer essa coisa simples, localizar as limitações do seu pensamento e mudar isso para pensamentos novos e positivos, isso o levará para uma outra vibração, produtiva e vital!

Nesses últimos anos, o meu mantra de poder, o que eu uso, permitiu que eu experimentasse viver em um estado de abundância, acreditando que tudo de que preciso vem a mim quando eu precisar, um estado de reconhecer que tudo que importa é o amor.

Usar meu mantra de poder pessoal nesses anos todos me fez descobrir que agora me relaciono mais com a vida como uma força enérgica, vivendo em um estado enérgico dessa afirmação, desse mantra de poder!

Comece agora criando seu mantra de poder!

Vamos construir juntos seu mantra de poder:

ESCUTA, (seu nome / *a) ______________________________

Você realmente é digna(o) de *b) ____________________ e de *c) ____________________

ESCUTA, (seu nome / *a) ______________________________

EU realmente sou digna(o) de *b) ____________________ e de *c)______________

Vamos construir juntos seu mantra de poder.

*a) Como você se chama? ______________________________

Se o seu apelido é mais forte que seu nome, use-o!

Vamos ao exemplo do apelido Zeca; as pessoas desconhecem o nome próprio do Zeca, ou simplesmente o nome próprio nunca ou raramente é chamado.

Se o seu nome é duplo e se chama dessa forma, ou é chamado pelo segundo nome, ou se é chamado simultaneamente pelos dois nomes, respire e escolha um!

Exemplo: Maria Alice.

Caso tenha dúvidas de como você se chama, decida agora! Escolha um único nome.

Como você se chama? ______________________________
____

Vamos precisar das primeiras duas letras do nome como você se chama (letras sementes):

*b) primeira letra do nome como se chama: ________

*c) segunda letra do nome como se chama: _________

Agora, você precisa escolher uma palavra que tenha a primeira letra do nome como se chama e uma segunda palavra com a segunda letra do seu nome.

Exemplo: Alice A (amor) L (leveza)

Escuta, Alice, você realmente é digna de amor e leveza.

Escuta, Alice, eu realmente sou digna de amor e leveza.

Este dicionário de palavras que preparei pode ajudá-lo; não pense muito, o som é mais importante do que o significado, então, permita-se sentir.

E assim seu mantra de poder vai funcionar.

Todas as vezes que afirmar no seu interior, de forma repetitiva, seu mapa guia, em forma de coragem, você apressa suas potências em ações ou visões.

Fale seu mantra pessoal de poder toda vez que precisar, ao longo do seu dia!

Dicionário

A – Amor, Autoconfiança, Abundância, Alegria, Amigos.

B – Bom humor, Beleza, Base, Bravura, Brilho, Bondade.

C – Contemplação, Calmaria, Congratulação, Conforto, Cura, Concretizações, Carinho, Coragem.

D – Desenvolvimento, Dinheiro, Deleite, Diversão, Disposição.

E – Estabilidade, Entusiasmo, Esperança, Êxito.

F – Felicidade, Fartura, Fé, Força.

G – Gratificação, Glória, Grandeza, Grandiosidade, Generosidade.

H – Harmonia, Higidez, Higiene,Honraria, Homenagem, Honestidade.

I – Importância, Interesse, Independência, Interesse, Intuição, Irmandade, Imaginação.

J – Junção, Jovialidade, Justiça, Júbilo.

K = C – As palavras com "C" também são indicadas nessa categoria.

L – Laço, Louvor, Luz, Longevidade, Lindeza, Leveza.

M – Mérito, Merecimento, Melhorias, Mansidão.

N – Notoriedade, Notabilidade, Nobreza, Natureza, Nutrição.

O – Oportunidades, Opulência, Otimismo, Orgulho.

P – Paz, Plenitude, Prazer, Prosperidade.

Q – Quietude, Qualificação.

R – Reconhecimento, Repouso, Resistência, Realizações.

S – Saúde, Sucesso, Satisfação, Sossego.

T – Triunfo, Tranquilidade, Ternura, Tenacidade, Talento.

U = W (quando tem som de U) – União, Unificação.

V = W (quando tem som de W) – Vínculo, Valor, Valia, Vitória, Vida.

W = (U ou V) – As palavras que iniciam com "U" e "V" também são indicadas nessa categoria, a depender do som emitido.

X = SH – Xodó; nas palavras em que o "X" expressa o som de "CH", podemos pensar na palavra "charme".

Y = I As palavras com "I" também são indicadas nessa categoria.

Z = Zelo, Zen.

Agora o papo é reto!

Nos últimos três capítulos deste livro, que tal abrirmos uma conversa sincera?

Capítulo 8

Você tem poder sobre seu pensamento

"O jeito como você se reeduca serve para mudar o seu modo de ter medo para ter curiosidade."

Substitua a palavra "medo" por "curiosidade".

Ficamos ocupados ao celular mandando mensagens para alguém, no computador ou na internet, assistindo a novelas.

Estamos olhando para fora de novo. As pessoas não percebem seu grande potencial porque pensam que ele vem de uma fonte externa. Mas ele está divinamente ordenado dentro de você.

Comece acreditando que pode ser totalmente apoiado pelo "*fluxo*" para seguir seus sonhos, suas paixões e sua orientação interior.

Use sua espontaneidade para contemplar-se como uma pessoa que é capaz de atrair o que quer para a sua vida, ter o tipo de relacionamento que deseja, ser capaz de ter abundância onde a escassez sempre existiu. Tudo o que tem de fazer é estar disposto para contemplar a presença disso em sua vida.

O caminho da mudança é um processo para a vida toda. Quando você se compromete com esse caminho, começa a ver milagres um atrás do outro. Aprender a ficar aberto e a aceitar esses milagres é um dos estágios mais importantes do seu crescimento.

A bioquímica e a neuroquímica são ciências que mostram também como alguém troca seu padrão de pensamento de "eu tenho um problema de saúde atrás do outro" para "eu realmente sou digno de amor".

Podemos amarrar novos padrões de pensamento em nossa mente com terapia comportamental cognitiva ou mesmo essas afirmações. Isso muda o processo do cérebro, criando pensamentos diferentes.

Experimente essas declarações, fale em voz alta e sinta:

Eu expresso gratidão por todo benefício da minha vida.

Cada dia me traz maravilhas e novas surpresas.

Todos os meus relacionamentos são harmoniosos.

Eu sou completamente preenchida(o) por tudo que faço.

Cada experiência é um sucesso.

Eu mereço o melhor e aceito isso.

Eu ouço com amor as mensagens do meu corpo.

Eu sou saudável, íntegra(o) e completa(o).

Tudo que todos querem – um objeto material, um estado de espírito, um relacionamento, uma pilha de dinheiro, uma circunstância, um evento –, cada coisa, sem exceção, que você já quis ou vai querer é porque você acha que será mais feliz se tiver isso. Então, se deixar suas intenções primárias se sentirem bem, trabalhará com todas as suas forças nessa viagem envolvente que está para fazer.

Não há uma única pessoa que não possa melhorar a sua qualidade de vida. Faço isso constantemente. O que procuro é: como posso aumentar meu conhecimento? Quanto mais entendo como a vida funciona e por onde ela funciona, melhor fica a minha vida.

Peguei este relato de uma das muitas pesquisas que fiz para entregar para vocês, queridos leitores, exemplos de afirmações que podem mudar qualquer situação, por pior que possa parecer.

"Uma história sem final feliz, mas em processo de..."

Minha vida, até onde me lembro, foi muito boa até os meus 9 anos; depois foi tudo por água abaixo.

Meu pai morreu. Éramos quatro irmãos, e minha mãe, que cuidava da gente, entrou em depressão profunda. Separada dos meus irmãos, fui levada para uma fazenda onde os funcionários cuidavam de mim.

Após um ano e meio, minha mãe casou-se novamente e me levou para uma nova casa.

O marido dela era um homem rude.

Então, os cinco anos seguintes da minha vida foram muito, muito desafiadores. Houve muito abuso físico e abuso sexual.

Cresci em uma família que me ensinou a não ser boa; nada que eu fazia era importante ou valorizado, eu era uma inútil. Ninguém me amava e ninguém amaria. E quando se tem essa crença, a vida lhe dá mais experiências assim.

Quando fui estuprada pelo avô de uma amiga, resolvi fugir de casa.

Eu não conhecia nada e não tinha nenhuma habilidade. Estava buscando o amor, e qualquer um que fosse bom comigo conseguia me levar para a cama.

Engravidei de gêmeos e os dei em adoção para um casal que queria muito ter filhos e não conseguia; eu não conseguia cuidar nem de mim.

Fui para o Rio de Janeiro e as coisas mudaram para mim.

Tornei-me recepcionista de uma pensão no centro da cidade, e, como não tinha estudo, era um ótimo trabalho.

Trabalhei por alguns anos até conhecer o meu marido, alemão, alto e generoso.

Fui parar na Alemanha e aprendi muito sobre a vida, mas, quando nos divorciamos, me senti como muitas mulheres se sentem: achava que era um fracasso, que não fazia nada certo e que tudo daria errado de novo.

Eu estava vivendo como muitas pessoas vivem, razoavelmente inconsciente, mas não era ciente da minha inconsciência. Apenas vivia, e às vezes sentia como se a vida estivesse acontecendo, que eu era vítima de tudo que me acontecia. Estava mesmo vivendo confortavelmente entorpecida, não havia um significado profundo na minha vida. Faltava alguma coisa, mas eu não sabia o quê. E comecei, do nada, a dizer para mim mesma:

"Eu consigo, eu posso!"

O interessante é que, nessa hora – a alma é tão maravilhosamente inteligente –, havia uma voz que dizia: "Isso está acontecendo por uma razão. Agora você não sabe qual, parece horrível, mas, na verdade, algo de maravilhoso nascerá disso".

"Eu consigo, eu posso!"

Voltei para o Brasil e, com o dinheiro que recebi, fundei uma ONG para ajudar meninas que sofrem abuso. Ainda estou em processo de cura.

Hoje reconheço a importância da minha vida dentro da vida dessas meninas.

A mudança inicia quando você começa a desprender-se das crenças que carrega em si.

Você pode fazer essa mudança aonde for, quando quiser. Onde você estiver, os portões da sabedoria e do conhecimento estarão sempre abertos.

"Eu consigo, eu posso!"

As afirmações levam-nos àquele espaço em que você está pronto para reconhecer a cura de que precisa.

É como semear uma semente na terra. Não necessariamente é uma verdade no momento, mas é uma coisa que você quer que seja verdade. Então, você semeia e espera brotar. Não pode esperar dois dias, cavar a terra e dizer: "O que aconteceu?". É preciso esperar aquilo brotar, porque existe um tempo, há um processo. E a semente brotará se estiver no solo certo e houver a quantidade certa de nutrientes.

E quando você começar a afirmar, as coisas vão começar a mudar. Talvez, no início, em um nível não tão perceptível, mas já é semáforo aberto ao invés do estacionamento.

Fazer uma afirmação é tão importante quanto escrevê-la. Você pode escrever em uma folha, parede, em um espelho ou apenas dizer.

E acredito que não só por dizer, mas também por acreditar. Diga e acredite! Acredite e diga!

Também gosto que as pessoas façam essas declarações em frente a um espelho. Há uma energia poderosa quando você se olha nos olhos. Está aceitando-se ou nota que está rejeitando-se quando diz alguma coisa positiva sobre si mesmo.

Experimente novamente:

Todos os dias, eu ajusto meu trabalho com lazer.

Minha renda aumenta constantemente.

Eu trabalho com o que eu gosto.

Eu trabalho com pessoas de que gosto muito.

Estou ganhando um bom dinheiro.

Eu sou apaixonada(o) pela vida.

Eu me amo!

Eu estou bem!

Meu corpo se restabelece ao seu estado natural de boa saúde.

Sou forte, saudável e vibrante!

Então, aposto que, se falar isso duzentas vezes ao dia, não terá espaço para que seu pensamento vibre medo de ter câncer, medos de...

E muita coisa virá das ações nas quais você apoia essas afirmações. Agir é tão importante quanto afirmar!

É assim que começamos a entrar na sintonia fina.

E quando você entra nesse estado e cria essas ações, elas começam a manifestar-se em sua vida.

"É como ter uma bússola em você. Não só na mente, mas também no seu espírito. E você tem que acreditar nisso. E quando começa a fazer isso, elas parecem falsas. Parecem bobas. Mas, depois de um tempo, você começa a perceber – "Realmente as coisas estão mudando!".

Muitas pessoas estão descobrindo como é essa linguagem por diferentes modos. O "*fluxo*" é positivo, a **matriz divina** é positiva. Então, quando você diz "eu quero que isso aconteça em minha vida", o "*fluxo*" diz "tudo bem, eu o deixo querer".

Porque não há resultado final. É uma proposta aberta sem fim.

Capítulo 9

A cena interna da mudança

A vida como conhecemos pode mudar em um instante. Tudo que chamamos de D'us "aparentemente" pode desaparecer da nossa frente, e ficamos cara a cara com aquilo que realmente importa no nosso mundo e necessita da nossa presença.

É assim que imprimimos o valor da sua existência.

Às vezes, pode parecer que o Universo não está respondendo às suas palavras, mas elas são o reflexo de como você se sente; esse sentimento é o reflexo da vibração que você está oferecendo; e a vibração que você está oferecendo iguala o seu ponto de atração.

Então preste atenção no que você diz, porque isso é uma ferramenta muito poderosa para entender qual é o seu ponto de atração.

Para começar, você usará o que chamo de mantra de poder, que você elaborou no capítulo 7. Faça uso deliberadamente, aplicando-o de manhã, de tarde, de noite, toda vez que precisar.

Desafios ao longo do caminho

Nos momentos de maior aflição, sempre pode existir o humor.

O humor ergue-nos até D'us e ameniza qualquer situação. Não é à toa que, quando contamos alguma coisa difícil para alguém, dizemos: o engraçado é que...

Depois, no futuro, quando o perrengue passa, costumamos nos lembrar da situação rindo às vezes.

Mas antes de se chegar lá, existe um momento de dor no qual você poderá cair em soluços profundos. E caia. Acolher a sua tristeza lhe trará resoluções para ações importantes. Você pode também simplesmente contemplar sua tristeza sem querer tirar algo dela.

Existem muitos desafios na vida, e todos passamos por eles; não há culpa nem vergonha nisso. Mas o modo como você lida com esses desafios é o que conta.

Resistência à mudança

"Sei que todos que conheço me criticam, e estão certos. Não vou conseguir nada mesmo. Provavelmente vou fracassar, como sempre. Além do mais, não estou sentindo nada de bom mesmo."

"Eu não sou uma dessas pessoas de autoajuda. Não acredito em cristais, fonte de energia ou anjos. O que é tudo isso? Sejamos realistas, isso é tudo criação ilusória."

"Bom, pelo menos sei que o que espero daqui pode não ser o melhor, mas pelo menos sei como lidar com isso. E o futuro pode ser ainda pior, então é melhor nem tentar sair daqui, nem mudar as coisas. E se eu fracassar? E se eu não tiver sucesso?"

Tudo que você reclama repetitivamente é uma coisa que tem intenção inconsciente de reproduzir.

Vivemos nossas vidas embasadas no que acreditamos sobre nós, nossas capacidades e limites. E de onde essas crenças vêm?

De onde dizem para nós! A história conta, a ciência comprova com suas leis relativas, a religião amedronta e religa, a cultura cultua e a família reproduz padrões.

Mas com a minha experiência ao longo desses anos como terapeuta, essa crença se cristaliza no autoamor.

Parte expressiva das pessoas não se ama o suficiente; a maioria das pessoas sente que não é boa o bastante, que não tem feito da forma certa e que, definitivamente, não será amada. Todo mundo quer ser amado!

É natural aparecerem dúvidas e questionamentos sobre qual é o próximo passo. Muitas vezes, nos perdemos sobre o que fazer, como tomar decisões e agir, mas não cabe atribuir isso à fala: estou com medo, deve ser por isso que estou parada(o).

Fomos condicionados a sentir as coisas que não queremos para nossas vidas, e temos medo. A sentir o que não queremos sentir. É nesse momento que seu mantra de poder vem com toda a força lembrá-lo do que realmente é digno!

Se aparecer um pensamento de alguma natureza que o deixe contrariado, pare onde estiver e reconheça por um instante. Será só uma questão de verbalizar o seu mantra de poder e buscar pensamentos melhores, alcançando um sentimento de alívio; assim, você vencerá a resistência.

Outra coisa: ao ter qualquer tipo de angústia, vá e faça alguma boa ação para alguém. Isso traz alívio imediato. Faça e comprove!

Eu estou segura(o), é só uma mudança

"Agora sei que as coisas que chamamos de negativas são, na verdade, coisas positivas que acontecem para que eu mude o foco e perceba o resultado positivo que está a caminho."

A consciência é o primeiro passo para uma mudança saudável. Quando você enfrenta os desafios dessa mudança, é tentador voltar ou até mesmo culpar outras pessoas pela situação. No entanto, você deve acolher o desafio externo, como um reflexo simples da sua resistência interna à mudança.

"Teste até onde vai seu comprometimento com você mesma(o) colocando em prática o que está aprendendo nesta leitura aqui e agora."

Capítulo 10

Tenho um potencial ilimitado

Um conto recontado...

Quando me divorciei, em 2010, fui para Búzios, na Região dos Lagos do estado do Rio de Janeiro, onde inclusive escrevo este manuscrito hoje. É um lugar lindo, praias paradisíacas, jeitinho carioca amistoso e menos malandro; e naquela época já não chovia havia meses, muitos meses. Uma mestra/amiga de cura prânica me chamou um dia e disse: "Sandra, gostaria de ir comigo a um lugar?".

Adoro essa frase: "A um lugar onde a pele entre os mundos é bem fina, para rezar para chover".

Israel, naquele momento, passava por uma situação semelhante; curioso que, quando os continentes se separaram, há milhões de anos, a África descolou-se da América do Sul, nascendo dessa separação o oceano Atlântico, criando um ponto geográfico em Búzios conhecido como ponto Aleph, na ponta da lagoinha.

Nem precisou perguntar de novo, eu disse que sim.

Nós nos encontramos no local combinado e caminhamos por quatro quilômetros em um mangue de pedras calcárias e vulcânicas.

Chegamos a um círculo de pedra que estava ali havia muito tempo, ela nem sabia quem tinha colocado as pedras ali. Eu não estava preparada para o que vi: minha mestra/amiga tirou os sapatos e entrou descalça no círculo. Ela fechou os olhos e saudou todos os seus ancestrais. O que ela disse foi: "Todos os meus ancestrais estão comigo agora". E depois de um minuto cravado, ela olhou para mim e falou: "Estou com sede, quer um gole de água?". E eu disse: "É claro, mas achei que íamos rezar para chover".

E ela explicou: "Se rezar para chover, nunca choverá, porque quando rezamos para alguma coisa acontecer, estamos apenas sugerindo que sabemos que isso não está acontecendo".

Falei: "Se não rezou para chover nesse um minuto, o que você fez?". E ela respondeu: "Quando fechei os olhos, senti o que sinto quando piso descalça na lama. A lama está lá porque há muita chuva. Senti o cheiro que se sente quando a chuva cai na terra. Eu me senti muito grata e apreciei a chuva que já caiu".

Quando você faz o seu mantra de poder, mesmo que no início faça sem acreditar, na hora em que o faz, abre um novo espaço em você.

E é claro que há muitas pessoas fazendo afirmações e que não estão recebendo o que estão afirmando, porque estão usando palavras e esperam que as palavras lhes deem o que querem, mas o Universo não responde às suas palavras, o Universo responde às suas vibrações. E as suas emoções indicam quais são as suas vibrações.

O mantra de poder é amplificado quando o usamos no nosso estado de sonho, porque nesse momento o ego está adormecido, a mente lógica está descansando e, portanto, você tem a oportunidade perfeita para programar a sua vibração.

Nossos sonhos existem também para resolver conflitos entre o nosso consciente e o inconsciente e para regular o nosso humor. Se você dormir acreditando estar perfeitamente bem, que você é realmente digno de __________ e de __________, tudo acontecerá no momento exato que tiver que acontecer.

"Conversei com a Sandra e pensei que nunca funcionaria comigo, mas cheguei em casa determinada a tentar.

Na época, eu estava com fatiga crônica e era freelancer.

O meu nível de energia estava tão baixo que mal trabalhava dez horas por semana. Eu ignorava minha filha e minhas responsabilidades. Então, comecei meu mantra de poder. 'Escuta, Eduarda, você realmente é digna de entusiasmo e de dinheiro!' E vi a diferença em uma semana; afirmava o tempo todo, e comecei o exercício em frente ao espelho. Eu ia até ele; se não fizesse isso, as palavras ficavam presas na garganta. Eu tinha que ir até o espelho e dizer: Eu te amo muito, Eduarda. Você é perfeita do jeito que você é."

Existe algo realmente interessante que acontece quando se entende, ou mais, quando se compreende. O entendimento incorpora um meio positivo de pensar. A compreensão promove equilíbrio entre o saber e o sentir. E assim o batimento inconstante do coração normaliza-se e você entra nisso, isso entra em você. É um padrão de ondas, como se pode ver no monitor cardiovascular. E esse padrão, na verdade, começa a equilibrar o corpo todo. Por isso o coração é conhecido como o grande eletromagneto que de fato equilibra o resto do corpo.

Os antigos fizeram a distinção entre pensamento, sentimento, emoções e sensações. E os sentimentos, que são o centro do nosso coração, causam um efeito que muda os campos elétricos e magnéticos. Assim, quando colocamos sentimentos no coração, estamos mudando o campo que conecta a nossa realidade física de modo que pareça miraculoso.

Assim, os pensamentos que o levam para um estado de relaxamento profundo são os que o iluminam, causando resultados como a queda de estresse, a normalização de açúcar no sangue, de hormônios, ajuste da pressão sanguínea e outros benefícios.

E isso é de fato um equilíbrio do sistema nervoso parassimpático e simpático. O parassimpático é o freio, e o simpático é o acelerador; a maioria das pessoas usa o acelerador o tempo todo com os pés no freio, mas, quando os dois estão equilibrados, trabalham com eficiência.

Assim, quando pensamos em alguma coisa, desenhamos isso na mente. O relacionamento perfeito ou a paz entre as nações. Mas precisamos convidar isso para nossa vida inspirando com emoção, levando esse sentimento para esse pensamento.

Esse é o poder da "sentimentalização"! Assim, quando inspiramos o poder da emoção em nosso pensamento, o sistema reequilibra-se. E essas duas energias estão em um centro que ainda não é nosso modelo de pensar, mas um dia, que seja breve, será e estará em nosso coração.

Perdoar é natural

Eu quero perdoar.

Eu posso perdoar.

Eu me perdoo e me liberto das amarras do meu passado.

Eu perdoo e me liberto.

Eu perdoo e me liberto.

Eu perdoo e me liberto.

Eu perdoo e me liberto.

O perdão natural é uma coisa muito boa e útil.

Quando entro em contato com a ideia "Eu me sinto ferida(o), machucada(o)", o ressentimento ainda corre internamente.

A melhor coisa para se fazer nesse momento é olhar para quem ou o que quer que seja e refletir: estou usando esse machucado como uma desculpa para não me permitir ser quem sou.

Então, a felicidade virá mais fácil. É só uma questão de cuidar de como está se sentindo e praticar um bom sentimento.

Quando tiver um conflito de qualquer espécie em um relacionamento, é você o responsável por trazer o amor para dentro.

"Eu termino todos os conflitos com amor."

Iluminar-se é deixar ir embora todas as coisas que acreditamos que não sejam benéficas para nossa vida. E soltá-las.

Tirar as barreiras para a claridade entrar.

O maior tesouro está escondido em você

Quando falamos em nos amar, muitas pessoas pensam que é vaidade. Mas não tem nada a ver com isso. Se você se olhar no espelho, olhar nos seus olhos e falar "Eu te amo. Eu te amo mesmo. ESCUTA, ______________, VOCÊ REALMENTE É DIGNA(O) DE ______________ E ________________", isso atinge aquela criança, ou aquele lugar na sua vida em que se sentiu rejeitada(o), e você começa a abrir-se para uma nova forma de ser e estar no mundo.

Ao reconhecer seu valor, você começa a tratar-se diferente e começa a cuidar do seu autoamor.

Quando para de autodestruir-se, de fazer coisas que não fazem bem, é o começo do autorrespeito. E isso faz uma enorme diferença; o que você doar para a vida é aquilo que receberá de volta.

Olhe para as coisas que aprecia. E sempre haverá algo.

Você pode apreciar o vento balançado as folhas de uma árvore, o rosto de uma criança ou a beleza de um amigo.

A vibração da apreciação e a vibração do amor são vibrações quase idênticas.

Mais afirmações de autoamor:

No centro do meu ser, flui a nascente infinita do amor.

O amor preenche todo o meu ser e irradia-se de mim em todas as direções.

Eu dou e recebo o meu amor todos os dias.

Eu me amo e me aceito.

Eu me amo, portanto, cuido do meu corpo.

Eu me amo, portanto, cuido da minha casa.

Eu me amo, portanto, me comporto e penso de um jeito amável com todo mundo.

Eu me amo, portanto, eu me perdoo e me liberto totalmente do meu passado.

Eu me amo, portanto, eu vivo o presente experimentando cada momento com seus benefícios, sabendo que meu futuro será brilhante, alegre e seguro porque eu sou amada(o) pelo Universo e o "*fluxo*" toma conta de mim.

Aprendendo a receber

Nenhum jardineiro entrará em um jardim para dizer: "Se você me der algumas flores, eu rego você".

Não é assim que as manifestações ocorrerão.

O que o jardineiro faz é regar, é cuidar, e os botões começam a abrir-se generosamente.

O "*fluxo*" ama compartilhar, essa é sua única natureza. Quanto mais você compartilha, mais se alinha com o "*fluxo*", abrindo os canais da recepção e das manifestações.

A vida trata-o de forma diferente se você parar de complicá-la. Você está vibrando de modo diferente, é assim que as coisas começam a fluir.

Todos passamos por um processo evolutivo em nosso crescimento, no qual começamos a desejar, mas é necessário um comprometimento consciente, um comprometimento de ação para manifestar as suas afirmações.

Após vários relacionamentos amorosos, estabeleci o que queria de fato dessa troca, todos os atributos que mereço.

Fiz uma lista dessas qualidades.

Um relacionamento no qual ambos são livres para seguir a sua criatividade, em que exista uma parceria nas atividades do dia a dia, uma parceria leve e colaborativa, um olhar de admiração e apoio.

Alguém que goste do meu filho, família e amigos, que entenda a grandeza e a prioridade do meu trabalho. Que tenha uma forma livre de trabalhar e seja generoso.

"Eu quero encontrar um parceiro que me ame, eu quero ter um relacionamento significativo." Mas, em contrapartida, eu venho trabalhando: "Como eu preciso crescer e evoluir para me tornar essa parceira?".

Só assim posso atrair o parceiro ideal.

Você não consegue falsificar seu ponto de atração.

O que você pensa e acredita é o que será verdade para você, assim você recria e cocria sua realidade.

E não basta só ter pensamentos positivos, é preciso seguir a orientação para ter resultados positivos.

Há muitos aprendizados entre o início e o fim, e não se pode chegar ao fim sem aprendê-los.